香峯子抄《かねこしょう》

夫・池田大作と歩んだひとすじの道

主婦の友社

香《か》峯《ね》子《こ》抄《しょう》

カバー写真　池田大作《いけだだいさく》

平成16年8月、長野にて（撮影・池田博正）

まえがき

私は、誠実《せいじつ》な正しき道を真《ま》っすぐに生《い》き抜《ぬ》いてきた母が大好《だいす》きです。

人間としての尊《とうと》い使命《しめい》に徹《てっ》した、平凡《へいぼん》であって偉大《いだい》な母だと思います。

私たち兄弟には、ただの一遍《いっぺん》も、厳《きび》しく叱《しか》られた記憶《きおく》はありません。

どんなときでも、笑顔《えがお》を忘《わす》れない。

どんな苦難《くなん》にも、決《けっ》して負《ま》けない。

ありとあらゆる嵐《あらし》があっても、微動《びどう》だにせず、正しく強《つよ》く歩み通してきました。

その母の微笑《ほほえ》みは、どれほど深《ふか》い信念《しんねん》を秘《ひ》めていることか。

そして、どれほど大きな希望《きぼう》の力《ちから》を持《も》っていることか。

海外の友人の方々《かたがた》からも、「お母《かあ》さまの素晴《すば》らしい笑顔に励《はげ》まされました」と、よく言われます。

実《じっ》は、十数年前より、日本を代表《だいひょう》する女性誌《じょせいし》のパイオニア「主婦《しゅふ》の友社《ともしゃ》」から、その母の〝微笑み〟をテーマにした本の出版《しゅっぱん》をという、ご厚情《こうじょう》あふるるお話をいただいておりました。

そのつど母は恐縮《きょうしゅく》しながらも、固《かた》くお断《ことわ》りしてきました。自分に光が当たることを望《のぞ》まない母にしてみれば、それは当然《とうぜん》のことだったのです。

「主婦の友」との縁《えにし》は、まことに深く、昭和《しょうわ》三十二年の夏には、父と母の師匠《ししょう》である戸田城聖先生《とだじょうせいせんせい》ご夫妻《ふさい》を紹介《しょうかい》する記事《きじ》が掲載《けいさい》されました。

父も、昭和三十八年の秋、創価学会第三代会長《そうかがっかいだいさんだいかいちょう》に就任《しゅうにん》した三年後に最初《さいしょ》の取材《しゅざい》を受《う》け、以来《いらい》、新春の寄稿《きこう》や作家の有吉佐和子《ありよしさわこ》さんとの対談《たいだん》、母と一緒《いっしょ》のインタビューなど、「主婦の友」を通して、女性へのメッセージを贈《おく》ってきました。

ロングセラーとなった『婦人抄《ふじんしょう》』や、アメリカの女性未来学者《みらいがくしゃ》ヘンダーソン博士《はかせ》との対談集《たいだんしゅう》『地球《ちきゅう》対談　輝《かがや》く女性の世紀《せいき》へ』も、発刊《はっかん》されております。

こうした長年の清々《すがすが》しいおつきあいもあり、村松邦彦社長《むらまつくにひこしゃちょう》や出版部《しゅっぱんぶ》の林幸子《はやしさちこ》さんたちへのご恩返《おんがえ》しになればと、母は今回の出版をお受《う》けすることにいたしました。

「幼《おさな》いころの思い出」「友情《ゆうじょう》そして師弟《してい》」

「青春と結婚《けっこん》」「夫《おっと》をいかに支《ささ》えるか」

「子育《こそだ》てと家庭《かてい》づくりの知恵《ちえ》」

「人生の試練《しれん》を乗《の》り越《こ》える勇気《ゆうき》」

「女性《じょせい》の社会貢献《しゃかいこうけん》」「世界《せかい》との対話《たいわ》」

「平和《へいわ》と幸福《こうふく》と健康《けんこう》の哲学《てつがく》」等々《とうとう》……。

熟練《じゅくれん》の名《めい》インタビューは、私たち家族《かぞく》も知らなかった秘話《ひわ》まで引き出しながら、母の持《も》つ「微笑《ほほえ》み力《りょく》」を心温《こころあたた》かく、そして見事《みごと》に浮《う》き彫《ぼ》りにしてくださいました。

『香峯子抄《かねこしょう》』とのタイトルも、編集部《へんしゅうぶ》で考えてくださったものです。

この「香峯子」という漢字《かんじ》の名前は、戸田先生《とだせんせい》からいただいたものですが、ちょうど平成《へいせい》十六年の秋から、「峯」の文字が人名用《じんめいよう》漢字に加《くわ》えられたことにも、不思議《ふしぎ》な時のリズムを感《かん》じました。

若《わか》き日の母が戸田先生から贈《おく》られた御書《ごしょ》には、一首《いっしゅ》の和歌《わか》が記《しる》されていました。

月光《げっこう》の
やさしき姿《すがた》に
妙法《みょうほう》の
強《つよ》き心《こころ》を
ふくみ持《も》てかし

この歌のとおりの人生を、母はさわやかに生《い》き抜《ぬ》いてきました。これからも変《か》わることはないでしょう。

その月光のごとく、やさしくも強き心の光彩《こうさい》を、この一書から感じとり、「女性の世紀《せいき》」を微笑み生きゆく糧《かて》としていただければ、私たち家族《かぞく》にとって、これほどの喜《よろこ》びはありません。

平成十六年　秋

長男《ちょうなん》　博正《ひろまさ》

『香峯子抄』目次《もくじ》

第1章
娘時代

「運命《うんめい》の出会い」を待《ま》つ少女

「運命の出会い」という言葉《ことば》があります。

あなたも一度《いちど》や二度は、そう思える「出会い」を経験《けいけん》しているのではないでしょうか。相手《あいて》は、恋人《こいびと》だったり、夫《おっと》だったり、先生だったり、友人だったりとさまざまでしょう。では、その「運命の出会い」は、あなたを幸《しあわ》せにしてくれたでしょうか。

そして、ここにも、そんな「運命の出会い」を待つひとりの少女がいました。その少女の名前は、白木《しらき》かね。のちの創価学会《そうかがっかい》第三代会長《だいさんだいかいちょう》・池田大作《いけだだいさく》氏の夫人《ふじん》、池田香峯子《かねこ》さんです。「運命の出会い」の相手は、もちろん、夫・池田氏です。

池田氏との出会いを「一生涯《いっしょうがい》の幸せ」という夫人の言葉に触発《しょくはつ》されるようにスタートしたインタビューからわかってきたことは、控《ひか》えめな夫人の意外《いがい》なパワーでした。そのパワーは「幸せを引《ひ》き寄《よ》せる力《ちから》」といってもいいでしょう。

夫人のパワーを支《ささ》えるものは、愛情《あいじょう》とい

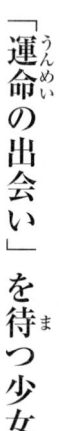

ってもよく、努力《どりょく》といってもよく、知恵《ちえ》といってもよく、人柄《ひとがら》といってもよいでしょう。それを感《かん》じとるヒントはあなた自身《じしん》の心の中にあります。

大切なことは、平凡《へいぼん》な日常《にちじょう》の中に何気《なにげ》なく存在《そんざい》していることが多いものです。自分だけでなく、周《まわ》りの人たちも幸せにする夫人の物静《ものしず》かな笑顔《えがお》、その微笑《びしょう》の中に、あなたが知りたい「幸せを呼《よ》ぶヒント」があるのかもしれません。

夫人が誕生《たんじょう》したのは、昭和《しょうわ》七（1932）年二月二十七日。父の名は、白木薫次《しらきしげじ》。母の名は、静子《しずこ》。姉（よし）と兄（文郎《ふみお》）、そして弟（周次《しゅうじ》）の四人きょうだいの三番目でした。生家《せいか》は、東京都大田区《とうきょうとおおたく》の矢口渡《やぐちのわたし》です。

いま、夫人の半生《はんせい》をたどることは、昭和という時代《じだい》の家庭《かてい》の姿《すがた》を、まざまざとよみがえらせてくれることにもなるでしょう。

では、夫人へのインタビューを中心に、夫・池田氏をはじめ、周囲《しゅうい》の方々《かたがた》の証言《しょうげん》などをもとに、夫人の「幸福力《こうふくりょく》」の秘密《ひみつ》に迫《せま》っていきましょう。

――ご実家《じっか》は、どんなご家庭《かてい》だったのでしょうか。また、ご両親《りょうしん》から教えられたことで、いまも心に残《のこ》っていることは、どんなことでしょう。

実家は一言《ひとこと》でいうと、とても円満《えんまん》な家庭だったのではないでしょうか。両親の夫婦《ふうふ》仲《なか》は、子どもから見ても、とってもよかったのです。(笑)

主人《しゅじん》がよく申《もう》します。

「円満なる家庭は、子どもにとっても、夫婦自身《じしん》にとっても、何よりもかけがえのないものだよ」と。当然《とうぜん》のことかもしれませんけれど……。

父は、まったく普通《ふつう》のごく平凡《へいぼん》な人でした。

生真面目《きまじめ》で、家族《かぞく》思いでしたから、家の中に波風《なみかぜ》が立つということは、ほとんどございませんでした。

私が小さいころは、父が帰宅《きたく》しますと、門のところにある呼《よ》び鈴《りん》がチリンチリンと鳴ります。

「あ、お父《とう》さんが帰《かえ》ってきた」と、家族みんな、玄関《げんかん》に並《なら》んで、「お帰りなさい」と、それこそ三《み》つ指《ゆび》ついて迎《むか》える、というような家でした。

その習慣《しゅうかん》のせいか、私は、結婚《けっこん》してからも主人が帰宅しますと、やはり同じようにして出迎《でむか》えていました。

大田区《おおたく》の小林町《こばやしちょう》（現在《げんざい》の東矢口《ひがしやぐち》三丁目）に住《す》んでいたころは、子どもたちがまだ小さくて、そんな躾《しつけ》までは、なかなかできませんでした。

昭和《しょうわ》四十一（1966）年に、新宿区《しんじゅくく》の信濃町《しなのまち》に越《こ》してきたときには、長男《ちょうなん》の博正《ひろまさ》が中学一年生、二男《じなん》の城久《しろひさ》が小学六年生、三男《さんなん》の尊弘《たかひろ》は小学二年生になっていました。

主人が帰ってきて、まだ子どもたちが起《お》きているときには、小さな狭《せま》い家ですが、各部屋《かくへや》につけてあるインターホンで、「パパがお帰りよ」と声をかけます。

みんなで「お帰りなさい」と出迎えてから、子どもたちはそれぞれの部屋へ戻《もど》っていくようになりました。

自然《しぜん》にやっていたことですが、それは、私が小さいときの白木家《しらきけ》の躾だったのです。

父は大変《たいへん》に律義《りちぎ》な人でしたから、躾には厳《きび》しいところがありました。しかし、強制《きょうせい》するという感《かん》じはありませんでした。そうされた覚《おぼ》えはないのです。

ただ挨拶《あいさつ》の仕方《しかた》については、やかましい家庭《かてい》だったことは確《たし》かです。子どもたちが帰宅《きたく》すると、両親《りょうしん》に「ただいま戻《もど》りました」と挨拶をしていました。

挨拶の仕方は、家庭で教えることのできる、大切な躾《しつけ》の一つだと思います。きちんとした挨拶ができないと、人との意思《いし》の疎《そ》通《つう》も上手《じょうず》にできなくなりますからね。

四季折々《しきおりおり》の時候《じこう》に寄《よ》せて、挨拶から始《はじ》まるのは、日本独特《にほんどくとく》のかたちかもしれませんね。そこに通《かよ》う心づかい、これは美《うつく》しいものだと思います。

どんなに時代《じだい》が変《か》わっても、私たち日本人が失《うしな》ってはいけない美しさだと思います。

母は勉強家《べんきょうか》でした。何事《なにごと》も自《みずか》ら進《すす》んで行《おこな》うほうでした。そして新しいものが好《す》き。〝ハイカラさん〟というのでしょうか。(笑)

母の実家《じっか》は、昔《むかし》、岐阜《ぎふ》で村長をしておりました。当時では珍《めずら》しく、母は女学校を出ています。そんな関係《かんけい》もあったのでしょうか、婦人之友社《ふじんのともしゃ》の羽仁《はに》もと子さんが創《つく》られた、あの自由学園《じゆうがくえん》の気風《きふう》が好きで、ご近所《きんじょ》の方《かた》たちとサークル活動《かつどう》をしたり、婦人之友社へ通ったりしていました。

大正《たいしょう》デモクラシーと、武者小路実篤《むしゃのこうじさねあつ》さんや有島武郎《ありしまたけお》さんたちの人道主義《じんどうしゅぎ》に、だいぶ心酔《しんすい》していたみたいです。

東京・矢口渡の自宅にて家族と。いちばん前が香峯子夫人（5歳ぐらい）、右側が姉・よしさん、左側が兄・文郎さん、父・薫次さんに抱かれた弟・周次さん、母・静子さん

母は、病気《びょうき》で具合《ぐあい》が悪《わる》くても、ちょっと元気になると、もう忙《いそが》しく動《うご》き回っていました。そういうことは、私もよく覚《おぼ》えています。

しかし母の体質《たいしつ》は、決《けっ》して強いほうではありませんでした。むしろ弱かった。そういうこともあって、姉も私も、よく家事《かじ》の手伝《てつだ》いをしていました。

母は、物《もの》を大変《たいへん》に大事《だいじ》にする人でした。台所《だいどころ》の食《た》べ物《もの》を無駄《むだ》にしないということなどは、徹底《てってい》していました。自然《しぜん》のうちに、私どもも教えられたのではないかと思います。これも、白木家《しらきけ》の教育《きょういく》だったのですね。

そうした昔気質《むかしかたぎ》を含《ふく》みながら、合理的《ごうりてき》なことは進《すす》んで重《おも》んじる、といった母でした。

父は、一面《いちめん》、豪放磊落《ごうほうらいらく》で、こむずかしいことを言うのは嫌《きら》いでした。ですから母のような女性《じょせい》を望《のぞ》んでいたのでしょうね。（笑）

私は、四人きょうだいの三番目でした。いちばん上が姉で、三歳違《さんさいちが》いの兄、そして弟です。

白木家では代々《だいだい》、女性には「さい」「らく」「いし」など、かな二文字《ふたもじ》の名前がつけられておりました。

長女《ちょうじょ》の名は「よし」で、私は「かね」で

す。祖父《そふ》がつけてくれました。

結婚《けっこん》したおり、人生の師《し》である戸田城聖《とだじょうせい》先生《せんせい》から、現代的《げんだいてき》に漢字《かんじ》で「香峯子《かねこ》」と命名《めいめい》していただき、それ以降《いこう》、ずっと使《つか》わせていただいております。両親《りょうしん》も、最初《さいしょ》からそうしておけばよかったと、喜《よろこ》んでおりました。

戸籍上《こせきじょう》の改名《かいめい》の手続《てつづ》きはしておりませんので、本名《ほんみょう》は「かね」のままです。

私たちが育《そだ》ったのは戦中戦後《せんちゅうせんご》でしたから、両親の苦労《くろう》は大変だったと思います。父は砂糖会社《さとうがいしゃ》に勤《つと》めておりましたが、戦争《せんそう》で事業《じぎょう》ができなくなり、疎開《そかい》をしなければならなくなりました。

疎開先は、両親の故郷《こきょう》である岐阜《ぎふ》の、かなり山奥《やまおく》でした。あの時代《じだい》に、育ち盛《ざか》りの子ども四人を抱《かか》えての疎開《そかい》です。いちばん両親が大変な思いをしていると感《かん》じたのは、やはり、その間のことでした。

もちろん戦争の災《わざわ》いということでは、日本国中、どこでも、どなたの家庭《かてい》でも、みな同じでした。

戦争ほど、みなが不幸《ふこう》になるものはありません。それこそ、二度《にど》と絶対《ぜったい》に起《お》こしてはいけない惨禍《さんか》です。

そんな思いを抱えながら、懸命《けんめい》に生《い》き抜《ぬ》いた昔の人たちは、本当に偉《えら》かったと思います。

自分が親の一人になってみて、平和《へいわ》なときでさえ、子どもを育《そだ》てるのは大変《たいへん》なことなのに、と感《かん》じます。

そのことで主人《しゅじん》と語り合うときがあります。どんな苦労《くろう》があっても、子どもを育てるうえでの苦労は宝《たから》、かけがえのない宝ですね。

――創価学会《そうかがっかい》との出会いは、どんなことがきっかけになったのでしょう。入会してから家族《かぞく》の暮《く》らしに何か変化《へんか》があったでしょうか。

創価学会への入会は、まず母が決断《けつだん》したことでした。

母は、私を産《う》んだあと、産後《さんご》の肥立《ひだ》ちが悪《わる》く、静脈炎《じょうみゃくえん》にかかってしまったのです。静脈の中に血栓《けっせん》ができる病気《びょうき》で、安静《あんせい》にしておりませんと、その血栓が肺《はい》に行きやすいのです。そうなった場合は、それで駄目《だめ》になってしまうという体だったようです。いまなら昔《むかし》と違《ちが》って、お薬《くすり》があるからいいのでしょうが、当時、お薬を手に入れることは、むずかしい時代《じだい》でした。ですから、いつも足がすごくはれておりました。

そのようなわけで、私から母にべたべた甘《あま》えていくことはなかったと思います。私

の下には弟もいますし、我慢《がまん》するといいますか、忍耐強《にんたいづよ》くなったのは、そんな事情《じじょう》があったからかもしれません。（笑）

それで、隣《となり》の家の方《かた》が、母の体を心配《しんぱい》して、入会を勧《すす》めてくださったのです。

母は入会するまで、一年間くらいは逡巡《しゅんじゅん》していたみたいです。父もやはり、その間は反対《はんたい》していましたが、母が決意《けつい》した以上、父も決意するのは、もう当然《とうぜん》といったふうでした。（笑）

入会は、家族みんなが一緒《いっしょ》でした。昭和《しょうわ》十六（１９４１）年の七月十二日のことです。私が矢口《やぐち》小学校の四年生のときでした。

私の出産《しゅっさん》が契機《けいき》になって入会したので、「あの子はやっぱり仏法《ぶっぽう》と縁《えん》が深《ふか》かったのだ」と、生前《せいぜん》、母は姉と話していたようです。

五年生のときには、辻武寿先生《つじたけひさせんせい》が学級担任《がっきゅうたんにん》でした。戸田城聖第二代会長《とだじょうせいだいにだいかいちょう》の門下生《もんかせい》でいらして、現在《げんざい》、最高指導会議員《さいこうしどうかいぎいん》の辻先生です。ですから、やはり私は、仏法に縁があったのかもしれません。

当時、わが家《や》での座談会《ざだんかい》に、初代会長《しょだいかいちょう》の牧口常三郎先生《まきぐちつねさぶろうせんせい》が見えたことがあります。

母に連《つ》れられて、矢口渡《やぐちのわたし》の駅《えき》まで出迎《でむか》え

に行きますと、牧口先生《まきぐちせんせい》は「よく来た、よく来た」と頭をなでてくださいました。周《まわ》りは家も少なくて、駅前《えきまえ》に何軒《なんげん》かお店があるだけで、近くの多摩川《たまがわ》の土手《どて》を見通《みとお》せるほどだったと思います。

牧口先生は、随分《ずいぶん》、ご年配《ねんぱい》の方《かた》だなという印象《いんしょう》があったのですが、座談会《ざだんかい》では背筋《せすじ》をピンと伸《の》ばされ、朗々《ろうろう》と話されて、本当に威厳《いげん》がありました。

戦争中《せんそうちゅう》ですから、あるときは特高警察《とっこうけいさつ》が三人も来て、廊下《ろうか》で監視《かんし》していることもありました。牧口先生の話を遮《さえぎ》り、何度《なんど》も「そこまで！　中止！」と怒鳴《どな》り声が飛《と》ぶのです。子ども心《ごころ》にも心配《しんぱい》でしたが、母は「牧口先生は正しくて、毅然《きぜん》としておられるから、何も怖《こわ》くない」と語っておりました。

家庭《かてい》には恵《めぐ》まれていたと、両親《りょうしん》に感謝《かんしゃ》をしております。父は平凡《へいぼん》な親でしたが、なんでも包容《ほうよう》していくほうでしたし、母は、むしろ嫌《きら》われることもハッキリ言う親でした。入会してからは、信心《しんじん》のことに関《かん》してはすごく厳《きび》しかったのですが、それぞれの役割《やくわり》はきちんと果《は》たしてくれたと、ありがたく思っております。

父は八十五歳まで、かくしゃくと生《い》き抜《ぬ》

4歳のころ、兄と自宅にて

きました。

母も病気《びょうき》をすっかり克服《こくふく》して、日本全国を元気に駆《か》け回《まわ》るようになりました。九十五歳で亡《な》くなるまで、はつらつと皆《みな》さんを励《はげ》まし続《つづ》けていました。

――子どものころ、きょうだい四人は、仲《なか》がよかったですか。（笑）

私は四人きょうだいの三番目でしたので、白木《しらき》の家の中では、あまり重要視《じゅうようし》されない立場《たちば》でした。（笑）

長男《ちょうなん》・長女《ちょうじょ》は、すごく大事《だいじ》にされました。そういうところは、封建的《ほうけんてき》な、昔《むかし》ながらの田舎育《いなかそだ》ちの両親《りょうしん》でした。

でも、それがかえって幸《さいわ》いして、いまでは助《たす》かったと思っております。

と申《もう》しますのは、主人《しゅじん》と結婚《けっこん》し、主人が学会でこういう立場になりましてから、親《しん》戚《せき》づきあいが思うようにできません。

主人も五男坊《ごなんぼう》でしたので、自由《じゆう》でやりやすい面《めん》がありました。私も白木のほうの親戚には、ご無沙汰《ぶさた》ばかりしてしまいましたが、それでこられたのは助かりました。

もちろん無視《むし》ということではございません。（笑）しかし、何かしなくてはいけなくても、どうしても学会のことが優先《ゆうせん》されるのは、しかたのないことでした。

兄は負《ま》けん気が強《つよ》く、姉も気が強いほうでしたから、きょうだいゲンカもあったようです。（笑）

私は、その姉を尊敬《そんけい》していた感《かん》じです。勉強《べんきょう》もできましたし、いろいろな面《めん》で言うことも言いますし、姉には一目置《いちもくお》いていました。

兄とは三つしか違《ちが》わないものですから、あまり相手《あいて》にはならなかった。（笑）ですから、ケンカはしたことがありません。

——記録《きろく》を拝見《はいけん》しますと、二年生のときは三学期《さんがっき》に、三年生のときは二学期の級《きゅう》長《ちょう》で、四年生では副級長《ふくきゅうちょう》。五年生、六年生は一学期の級長となっています。その後、高等女学校《こうとうじょがっこう》に進《すす》まれたのですね。

姉も私も、高等女学校は調布学園《ちょうふがくえん》（現在《げんざい》の田園《でんえん》調布学園）にお世話《せわ》になりました。私立の女学校です。そのモットーは「精《しょう》進《じん》」でした。

お掃除《そうじ》というものに、すごく重《おも》きがおかれていて、各教室《かくきょうしつ》はもちろんのこと、講堂《こうどう》とかトイレのお掃除など、そういうことを徹底《てってい》させる学校でした。

最初《さいしょ》、父がその学校を見に行き、一見して気に入ったのです。

創立者《そうりつしゃ》の西村庄平先生《にしむらしょうへいせんせい》の銅像《どうぞう》がありまして、それが堂々《どうどう》とモップを持《も》っておられ、バケツもちゃんとおいてある。（笑）その校風《こうふう》が、父のかねての持論《じろん》とぴたり一致《いっち》したのでしょう。まず姉が入り、私も当然《とうぜん》そこに、ということになりました。

そうしたことに限《かぎ》れば、父は頑固一徹《がんこいってつ》なところがありました。

調布学園《ちょうふがくえん》は私立でしたが、公立でもいい女学校はあったのです。実家《じっか》の近くにもありました。

そこへ入った友人もたくさんいますが、わが家《や》には調布学園以外《いがい》を受験《じゅけん》するという意識《いしき》はありませんでした。普通《ふつう》でしたら、友人と一緒《いっしょ》に公立を受《う》けなさい、と言われたと思うのですが。

主人《しゅじん》の父も、正しいと思うことは頑固なまでにやり通した方《かた》で、「強情《ごうじょう》さま」とあだ名されていたといいます。戦争嫌《せんそうぎら》いというところなど、白木《しらき》の父と相通《あいつう》じる点が多かったようです。それは、結婚《けっこん》してから、よく感《かん》じました。

——少女時代《しょうじょじだい》のお写真《しゃしん》を、ぜひ見せていただきたいのですが……。

子どものころの写真は、あまり残《のこ》っていないのです。空襲《くうしゅう》で焼《や》けたからです。

昭和《しょうわ》二十（1945）年の四月十三日に、岐阜《ぎふ》に、母と兄、弟、私の四人で疎開《そかい》しました。

弟だけ学童疎開《がくどうそかい》という方法《ほうほう》もありましたが、それではかわいそうだからと、家族《かぞく》で、父母の実家《じっか》のある岐阜に疎開することにしたのです。

その列車《れっしゃ》の中で、アメリカのルーズベルト大統領《だいとうりょう》が亡《な》くなったという話が舞《ま》い込《こ》んできました。「それならば戦争《せんそう》はもう終《お》わる。じゃあ、家に帰ろうか」と皆《みな》で言ったほどでした。

（ルーズベルト大統領は、昭和二十（1945）年四月十二日、静養先《せいようさき》のジョージア州《しゅう》で急死《きゅうし》）

ところが、とんでもなかったのです。疎開して二日後の四月十五日、東京《とうきょう》の自宅方《じたくほう》面《めん》が空襲にあいました。あの東京大空襲です。

（この年の三月に続《つづ》き、四月十三日から十五日にかけて、東京へ二度目《にどめ》の大空襲があった。大森《おおもり》や蒲田《かまた》方面への空襲は十五日であった）

当初《とうしょ》は、東京《とうきょう》に残《のこ》った父と姉が後片付《あとかたづ》けをして、まとめた荷物《にもつ》を送《おく》り出《だ》し、あとから岐阜《ぎふ》に出《で》てくる予定《よてい》だったのですが、その前に焼《や》けたのです。二人は、取《と》るものも取りあえず逃《に》げました。

このとき、お酒《さけ》が好《す》きだった父は、掘《ほ》ってあった穴《あな》にお酒をしまい、その上に畳《たたみ》を何枚《なんまい》か、かぶせておいたそうです。焼け野《やの》原《はら》に、それだけが無事《ぶじ》、残ったのです。（笑）この地域《ちいき》では、創価学会員《そうかがっかいいん》のお宅《たく》二軒《にけん》だけが守《まも》られて焼《や》けず、あとは壊滅《かいめつ》。父は、そのお酒を持《も》ってお祝《いわ》いに行ったと、笑《わら》い話として語っておりました。

私たちが岐阜に着《つ》いたとき、東京がそんなに焼けたとは知る由《よし》もありませんでした。電話もテレビもない時代《じだい》でしたから……。

私は、それまで私立の女学校に通《かよ》っていましたので、県立には移《うつ》れないということで、市内の学校に行くことになりました。その関係《かんけい》で、兄と私が市内の美園町《みそのちょう》の母方の叔母《おば》の家に、母と弟は市外の福富《ふくとみ》の母の実家《じっか》に、お世話《せわ》になりました。

長良川《ながらがわ》をはさんで、二組に分かれての疎《そ》開《かい》生活が始《はじ》まったのです。

あとから、父のはがきが届《とど》いて、東京が

10歳のころ、弟と

焼《や》けたことを知りました。

ところが、昭和《しょうわ》二十（１９４５）年の七月、岐阜《ぎふ》も大空襲《だいくうしゅう》にあいました。終戦《しゅうせん》の一カ月前のことです。

（岐阜大空襲。昭和二十（１９４５）年七月九日の夜、Ｂ《ビー》29の編隊《へんたい》が岐阜市を襲撃《しゅうげき》し、中心部《ちゅうしんぶ》の約《やく》七割《わり》が焼失《しょうしつ》した）

兄は中学生でしたが、男手だからと、叔《お》父《じ》とともに、町の消防団《しょうぼうだん》へ駆《か》り出されていましたので、残《のこ》された叔母《おば》と子ども二人と私とで必死《ひっし》に逃《に》げました。

焼夷弾《しょういだん》が降《ふ》ってくるのを後《うし》ろに見ながら、よくこれだけ正確《せいかく》に市街地《しがいち》にだけ落《お》とせるものだと感心《かんしん》したものです。

真《ま》っ黒《くろ》に焼《や》け焦《こ》げてしまった、見分けもつかない痛《いた》ましい犠牲者《ぎせいしゃ》の方々《かたがた》を横目《よこめ》に、大きな長良橋《ながらばし》を渡《わた》って、市外へ、ぞろぞろ、ぞろぞろ、大勢《おおぜい》で避難《ひなん》しました。

ちょうどそこに、葉《は》っぱはついていない枝《えだ》だけの桑畑《くわばたけ》があって、その中に身《み》を寄《よ》せ合っていると、枝の一部《いちぶ》になったようで、安心《あんしん》するのです。そこで一夜を明かしました。

「こういうのを〝桑原《くわばら》、桑原〟（落雷《らくらい》などを避《さ》けるまじない）っていうのね」と私が言うと、「こんな大変《たいへん》なときに」と、みんなで笑《わら》ったのですよ。（笑）

朝になり、市内のほうへ戻《もど》ろうとしましたが、一面《いちめん》、焼け野原《やのはら》でした。

焼け出された私たちは、かろうじて残っていた、叔母の知り合いの家にたどり着《つ》きました。親戚《しんせき》だったと思います。

叔父と兄を捜《さが》し出さなくてはと心配《しんぱい》していたところ、どういうわけだか、そこに、自然《しぜん》と家族《かぞく》が無事《ぶじ》、集《あつ》まってきました。まあ、そこしかなかったのですけれども。

不思議《ふしぎ》なもので、私たちを案《あん》じた父も駆《か》けつけてくれ、再会《さいかい》できました。

――弟さんが奥様《おくさま》を評《ひょう》して、「おふくろが姉のことを『何を言われても絶対《ぜったい》に怒《おこ》らない』とよく言っていました。疎開先《そかいさき》でも、疎開っ子はいじめられたものですが、姉に限《かぎ》ってはそれがなかった。不思議です」と言っていますが。

そんなこと、ありませんよ。（笑）いじめられたこともあります。つらいこともありました。

怒るべきところでは怒りますし、悔《くや》しいこともございます。（笑）

――少女時代《しょうじょじだい》の読書で、印象深《いんしょうぶか》い本は何でしょうか。

吉屋信子《よしやのぶこ》さんの小説《しょうせつ》でしょうか。『あの道この道』という作品《さくひん》が忘《わす》れられません。同じ日に生まれてきた二人の少女が、一人は裕福《ゆうふく》な家庭《かてい》で、もう一人は貧乏《びんぼう》な家庭で、入《い》れ替《か》わって成長《せいちょう》していきます。

その結末《けつまつ》というのが、『王子《おうじ》と乞食《こじき》』の趣《おもむき》にも通じるところのある物語《ものがたり》でした。いまでも心《こころ》に残《のこ》っております。

そして、山本有三《やまもとゆうぞう》さんの『路傍《ろぼう》の石《いし》』です。涙《なみだ》しながら読みました。

外国文学では、『嵐《あらし》が丘《おか》』とか『風《かぜ》と共《とも》に去《さ》りぬ』でしょうか。

――終戦後《しゅうせんご》は、すぐに東京《とうきょう》に戻《もど》られたのでしょうか。

昭和《しょうわ》二十（１９４５）年の八月十五日、終戦は、この疎開先《そかいさき》で迎《むか》えました。

父の砂糖会社《さとうがいしゃ》は海外との取《と》り引《ひ》きで成《な》り立《た》っていました。日本は敗戦《はいせん》したばかりですから、仕事《しごと》はまだまだできません。父とすれば、このまま岐阜《ぎふ》に住《す》みつこうかという気持《きも》ちもあったようです。

女学校の二年生になっていた私には、すぐにでも、生まれ育《そだ》った東京へ帰りたいという強い思いがありました。そのときだけだったと思うのですが、どうしてか私、強情《ごうじょう》を張《は》ったみたいです。

終戦になったのが、一学期の終《いちがっき》《お》わりです。二学期が終わるまで、岐阜で過《す》ごし、まず兄と私の二人で、横浜《よこはま》の菊名《きくな》に住んでいた父方の伯母《おば》のところに下宿《げしゅく》しました。そこから、田園調布《でんえんちょうふ》の学園《がくえん》に通《かよ》うためです。家族《かぞく》が元《もと》のところにバラックを建《た》てるまでの間、お世話《せわ》になりました。

そのころ、伯父《おじ》はすでに亡《な》くなっており、二人の息子《むすこ》も戦地《せんち》からまだ帰ってきていませんでした。ですから、伯母さん一人だったこともあり、「おいで、おいで」と親切《しんせつ》に言ってくれたのです。私も、伯母の手助《てだす》けをしようと思いまして、一生懸命《いっしょうけんめい》、台所《だいどころ》を手伝《てつだ》ったり、お掃除《そうじ》をしたりしていました。父の姉で、かなりの年配《ねんぱい》でしたから、「おばさん」というより「おばあさん」と呼《よ》んで慕《した》っていました。

ある朝、雨戸《あまど》を開《あ》けますと、隣《となり》のお宅《たく》の方《かた》と顔が合いました。挨拶《あいさつ》を交《か》わしますと、「ほんとうに人間らしい顔を久《ひさ》しぶりに見ました」と言われるんです。（笑）

まだ子ども同然《どうぜん》の年ですから、「それは、

どういう意味《いみ》ですか」と笑ったものです。その言葉《ことば》は忘《わす》れられませんね。（笑）

いま思うと、すでに創価学会《そうかがっかい》に入会しており、お題目《だいもく》を唱《とな》えていました。戦後《せんご》まもない殺伐《さつばつ》とした世《よ》の中で、信仰《しんこう》している少女の顔は、なにか平和《へいわ》で穏《おだ》やかに見えたんでしょうか。（笑）

菊名《きくな》から矢口渡《やぐちのわたし》に戻《もど》り、少しでも家計《かけい》を助《たす》けようと思い、学校に通《かよ》いながら、土曜日、日曜日には、電車に乗《の》って、品川《しながわ》のパン工場にアルバイトに行きました。父が砂《さ》糖《とう》の会社でしたから、その関係《かんけい》だったかもしれません。

当時は、食パンしか作っていなくて、学《がっ》校給食《こうきゅうしょく》も全部《ぜんぶ》、食パンでした。そのうちコッペパンも作るようになりましたが。

パンの作り方など、それまで知らなかったのですが、そこで初《はじ》めて教《おそ》わりました。小麦粉《こむぎこ》の残《のこ》った生地《きじ》で、そこの職人《しょくにん》さんが、渦巻《うずま》きパンとか、カニの形をしたパンなど、「昔《むかし》とった杵柄《きねづか》」というのでしょうか、職人技《わざ》を見せてくれて、「わあ、素晴《すば》らしいな」と思ったものです。

また近くの病院《びょういん》でも、一年半ほどアルバイトをしました。歩いていけるところでした。

母が通院《つういん》していた関係《かんけい》だったか、何かの

矢口小学校４年の遠足。３列目、中央（武蔵野・井の頭公園）

ときに、手伝《てつだ》いに来てくれないかと声がかかったのです。

注射器《ちゅうしゃき》の煮沸消毒《しゃふつしょうどく》や粉薬《こなぐすり》を包《つつ》むお手伝《てつだ》いをしたり、保険《ほけん》の点数を計算したりもしました。

習《なら》い事《ごと》としては、小学校のころは、お習《しゅう》字《じ》に通《かよ》いました。教《おそ》わっていた先生が病気《びょうき》になって、やめてしまいましたが。

のちに、銀行《ぎんこう》に勤《つと》めていたころは、速記《そっき》も少々かじりました。

すべて、いまに生きています。

——調布学園《ちょうふがくえん》での学生生活は、奥様《おくさま》にとって、かけがえのないものだったようですね。

幸《しあわ》せなことに、調布学園では、よき友人、そして、よき恩師《おんし》に恵《めぐ》まれました。

生涯《しょうがい》にわたる同窓《どうそう》の友は、何ものにもかえがたい宝《たから》です。

また、担任《たんにん》をしてくださった前田富子《まえだとみこ》先《せん》生《せい》、さらに社会科を教えてくださった島田《しまだ》正就《まさなり》理事長《りじちょう》はじめ、素晴《すば》らしい先生方《がた》との出会いがありました。

卒業《そつぎょう》してからも、陰《かげ》になり日向《ひなた》になり見《み》

守《まも》ってくださり、恩師とは何とありがたいものかと、身《み》をもって感《かん》じてきました。

＊＊＊

ここで、夫人《ふじん》が卒業した調布学園の理事長であった故《こ》・島田正就さんをはじめ、加賀多《かがた》枝子《えこ》さんたち同窓生の皆《みな》さまのお話を紹介《しょうかい》します。

自分が担当《たんとう》した教え子は、八千人になりますが、ひときわ際立《きわだ》っていたのが、香峯《かね》子《こ》さんでした。

廊下《ろうか》ですれ違《ちが》っても、立ち止まって挨拶《あいさつ》されるお下《さ》げ髪《がみ》の姿《すがた》が、いまでも思い出されます。毎年、「お元気で」といただく年《ねん》賀状《がじょう》がうれしいです。

（故・島田正就理事長の話）

◆

担任の前田富子先生は、入学前から、香峯子さんに注目《ちゅうもく》されていました。学校見学のおり、お姉さまと一緒《いっしょ》にいらした香峯子さんを迎《むか》えられたのが、前田先生だったのです。

脱《ぬ》がれた靴《くつ》をきちんとそろえ、上品《じょうひん》にお辞儀《じぎ》される姿《すがた》に「こういうお嬢《じょう》さまにこそ入学していただきたい」と感心《かんしん》されて、入《にゅう》学試験《がくしけん》のあと、ご自身《じしん》で合格《ごうかく》を確認《かくにん》されたと言われておりました。

入学されてからは、クラスの「世話役《せわやく》」をされていました。この「世話役」は、成《せい》績優秀《せきゆうしゅう》のうえに、品格《ひんかく》が備《そな》わる生徒《せいと》が選《えら》ばれる役目《やくめ》です。

クラスを、とてもよくまとめておられ、「あのクラスは何の心配《しんぱい》もない」「模範《もはん》のクラスで安心《あんしん》できる」と職員室《しょくいんしつ》の先生方《がた》が言われるくらいでした。

お掃除《そうじ》のぞうきんがけなども、率先《そっせん》されていました。

私たち同級生《どうきゅうせい》の間では「いちばん調布学《ちょうふがく》園《えん》らしい女性《じょせい》」と言われております。

「優《やさ》しいなかにも、不正《ふせい》に対《たい》しては、きちんと発言《はつげん》される勇気《ゆうき》を持《も》っていました」と、前田先生《まえだせんせい》はよく語っておられました。

池田先生《いけだせんせい》とのご結婚《けっこん》のお話を聞かれたとき、前田先生は「とてもうれしい。立派《りっぱ》なご夫妻《ふさい》で、きっと素晴《すば》らしい創価学会《そうかがっかい》を築《きず》いていかれるに違《ちが》いない」と喜《よろこ》ばれていました。

前田先生は、創価学会の行事《ぎょうじ》にも出席《しゅっせき》され、大田区《おおたく》の文化会館《ぶんかかいかん》や八王子《はちおうじ》の創価大学

調布学園時代（16～17歳ごろ）。自宅にて

も訪問《ほうもん》されました。そのおりのことを調布《ちょうふ》学園《がくえん》の職員室《しょくいんしつ》でお話しなさり、校長先生はじめ皆《みな》、感動《かんどう》されていました。

◆

平成《へいせい》十四（２００２）年の夏、前田先生《まえだせんせい》は九十六歳で逝去《せいきょ》されました。地方での行《ぎょう》事《じ》のため、葬儀《そうぎ》に参列《さんれつ》できない香峯子《かねこ》さんから、それは胸《むね》を打《う》つ弔電《ちょうでん》が届《とど》きました。

「蛍《ほたる》の光　窓《まど》の雪――

幾歳《いくとせ》も最高《さいこう》にお世話《せわ》になり、私たちを慈《いつく》しみ見守《みまも》ってくださった先生。

優《やさ》しく、深《ふか》い知性《ちせい》の誇《ほこ》り高き恩師《おんし》である前田富子先生《まえだとみこせんせい》のご高恩《こうおん》を、私は決《けっ》して忘《わす》れません。……私は先生の思い出を胸《むね》に秘《ひ》めながら、これからも先生の生徒《せいと》らしく、人生を生《い》き抜《ぬ》いてまいります。

先生、ありがとうございました。ごゆっくりお休《やす》みください。

懐《なつ》かしき前田先生、さようなら！」

前田先生のご家族《かぞく》も、感動《かんどう》を禁《きん》じ得《え》ないご様子《ようす》でした。

◆

香峯子さんは、本当に優しく、面倒見《めんどうみ》のよい方《かた》でした。皆に平等《びょうどう》に接《せっ》する素晴《すば》らしい方でした。

卒業後《そつぎょうご》のクラス会で、お目にかかったおりも、昔《むかし》と少しも変《か》わりなく、本当にうれしかった。

――卒業後の進路《しんろ》について、銀行《ぎんこう》に決められた経緯《いきさつ》は、どんなことだったのでしょう。仕事《しごと》を通して学ばれたことはありましたか。

学校を卒業して就職《しゅうしょく》したのは、昭和《しょうわ》二十五（１９５０）年です。

女性《じょせい》の社会的《しゃかいてき》な進出《しんしゅつ》という、いまのような趨勢《すうせい》は考えられない時代《じだい》でした。終戦《しゅうせん》後《ご》、五年しかたっていませんし、東京《とうきょう》の復《ふっ》興《こう》は、まだほど遠い感《かん》じでした。

そのころ、女性の就職先としては、やはり銀行が手堅《てがた》くていちばんという時世《じせい》で、憧《あこが》れの職場《しょくば》だったのですね。

看護師《かんごし》さんや学校の先生になるには、専《せん》門《もん》の学校を出なくてはいけませんし。父の考え方も手堅くて、銀行ならば、という思いがあったと思います。

いまでしたら、進学《しんがく》から就職まで、もっと自由《じゆう》に幅広《はばひろ》く選択《せんたく》できますから、果《は》たして女学校《じょがっこう》に入って銀行を選《えら》んだかどうか……。

実際《じっさい》、いよいよ卒業だというときには、先の学校に進《すす》むかどうかで、一度《いちど》、気持《きも》ちが揺《ゆ》れました。

実践的《じっせんてき》な女学校に娘《むすめ》たちを入れるくらい

の父ですから、女の子には学問はあまり必《ひつ》要《よう》ないという方針《ほうしん》でした。

姉は栄養学校《えいようがっこう》へ進《すす》みました。私の場合は、「新しい学制《がくせい》の高校まで行ったのだから、それで就職《しゅうしょく》したっていいではないか」というのが、父から言われたことでした。

あのころは、そんなに進学《しんがく》できる学校は多くなかったのですが、それでも同級生《どうきゅうせい》の幾人《いくにん》か受験《じゅけん》する人がいたものですから、ちょっと心《こころ》が揺《ゆ》れたのです。

三年生のころ、アルバイトで病院《びょういん》へお手《て》伝《つだ》いに通《かよ》ったこともあって、医学部《いがくぶ》へ行こうかな、と思ったこともありました。

でも、父の会社はまだ再建《さいけん》できていませんでした。貿易《ぼうえき》での商《あきな》いが再開《さいかい》できたのは、もっとあとのことでした。

医学部は相当《そうとう》お金がかかるので、薬専《やくせん》（薬学専門学校《やくがくせんもんがっこう》）ならいいかしら、と薬剤《やくざい》師《し》を志願《しがん》することなどを考えて、いろいろと思案《しあん》していたのです。

そのときに、「もう自分で決《き》めなさい」と両親《りょうしん》から言われました。そこで、それこそ真剣《しんけん》にお題目《だいもく》を唱《とな》えました。

そして、就職しようと思ったのです。自分の心が本当に決まったな、と実感《じっかん》したのは、そのときが初《はじ》めてです。

それまでの信心《しんじん》は、どちらかといえば、両親がやっているから、家族一同《かぞくいちどう》がやって

調布学園卒業式。３列、左から７人目（昭和25年３月）

調布学園の文化祭。後列、中央（昭和21年11月）

いるから、ということでした。朝もちゃんと勤行《ごんぎょう》しないと、ご飯《はん》を食べさせてくれませんから。(笑)

けれども、真剣《しんけん》に祈《いの》ると、こんなにちゃんと決《き》まるものなのだなあ、という体験《たいけん》をこのとき、初《はじ》めていたしました。自分の気《き》持《も》ちがまったく揺《ゆ》れないで定《さだ》まったんです。

心《こころ》が定まってからは、就職《しゅうしょく》した場合のいろいろな利点《りてん》もよく見えてきました。姉が嫁《とつ》いだ直後でしたし、家計の状況《じょうきょう》もわかるものですから、やはり勤《つと》めて少しでも助《たす》けになれば、という気持ちでした。

そこで就職するなら銀行《ぎんこう》と、今度《こんど》は、そちらへの祈りになって、受《う》けたら入《はい》っちゃった、(笑) という感《かん》じなんです。

なぜ住友銀行《すみともぎんこう》だったかと申《もう》しますと、学校へ求人《きゅうじん》に来た順番《じゅんばん》で、住友が最初《さいしょ》に決《き》まったからです。

そのあと別《べつ》の銀行からも求人が来まして、両方《りょうほう》受けましたが、返事《へんじ》も住友のほうが早く来ました。住友には学校からの推薦《すいせん》もあったように思います。

あのとき、進学《しんがく》コースへ入っていれば、主人《しゅじん》との出会いはなかったかもしれませんし、(笑) やはりこうなったのが、私の幸《こう》運中《うんちゅう》の幸運だったと思います。

就職したころは、まだ衣料切符《いりょうきっぷ》がないと着《き》るものも買いづらい時代《じだい》でしたので、通勤着《つうきんぎ》は古着《ふるぎ》を再生《さいせい》して、自分でちょこちょこと縫《ぬ》って着ておりました。それで裁縫《さいほう》が身《み》につきました。いまのような制服《せいふく》は、もちろん、まだありませんでした。

銀行での仕事《しごと》は、最初《さいしょ》は計算の係《かかり》でした。出納《すいとう》ですね。私はまだ見習《みなら》い中でしたけど、一日の集計《しゅうけい》をする係だったのです。それには算盤《そろばん》が上手《じょうず》でないといけませんから、家で練習《れんしゅう》しました。在学中《ざいがくちゅう》はあまりやったことがありませんでした。入行《にゅうこう》するときに「算盤が下手《へた》でもいいのですか」と聞きましたら、いいという話でしたので。（笑）それが覚《おぼ》え始《はじ》めで、比較的《ひかくてき》うまくなりました。

わずか二年の勤《つと》めでしたが、最後《さいご》は支店《してん》での競技会《きょうぎかい》で優勝《ゆうしょう》するくらいになりました。計算機《けいさんき》が登場《とうじょう》してからも、しばらくはやっぱり算盤でした。

銀行では、一日のものを必《かなら》ず集計して、それが終《お》わらなければ残業《ざんぎょう》してでも、たとえ一円多くなっても、全部《ぜんぶ》やり直《なお》しますでしょう。その「今日《きょう》のことは今日やらなければいけない」という習慣《しゅうかん》が、結婚後《けっこんご》にも役《やく》に立《た》ちました。いまでも役に立っているような感《かん》じがします。
特《とく》に家計簿《かけいぼ》をつけるのに、たいそう得《とく》をしました。「家計簿をつけていく大事《だいじ》さ」は、結婚《けっこん》の際《さい》に戸田先生《とだせんせい》から指導《しどう》されたことでもありました。あらかじめ、その予行《よこう》演習《えんしゅう》をしていたようなもので、（笑）これも幸運《こううん》でした。

家計簿は、母もきちんとつけておりました。ドイツなどでは家政学《かせいがく》が、家庭《かてい》の中でしっかり根《ね》づいているそうですね。そのドイツの主婦《しゅふ》の伝統《でんとう》が一つの基礎《きそ》となって、その上に国家の財政学《ざいせいがく》も築《きず》かれ発達《はったつ》してきたという話を、何かの本で読んだことがございます。母も、そうした堅実《けんじつ》さを重《おも》んじているようでした。母は性格上《せいかくじょう》のこともあったと思いますが、勉強《べんきょう》を進《すす》んでしておりましたから。

これは結婚後のことですが、銀行《ぎんこう》に勤《つと》めたおかげで、銀行が上手《じょうず》に活用《かつよう》できるようになりました。（笑）

結婚してからは、まず、最寄《もよ》りの銀行にお給料《きゅうりょう》を全部《ぜんぶ》、預《あず》けてしまうんです。そうしますと、出しに行くのはなかなか面倒《めんどう》なものですから、なるべく手元《てもと》にあるお金でなんとかするようになりました。

引き出すときも、一度《いちど》にたくさんは出さ

少女時代の思い出の本『あの道この道』

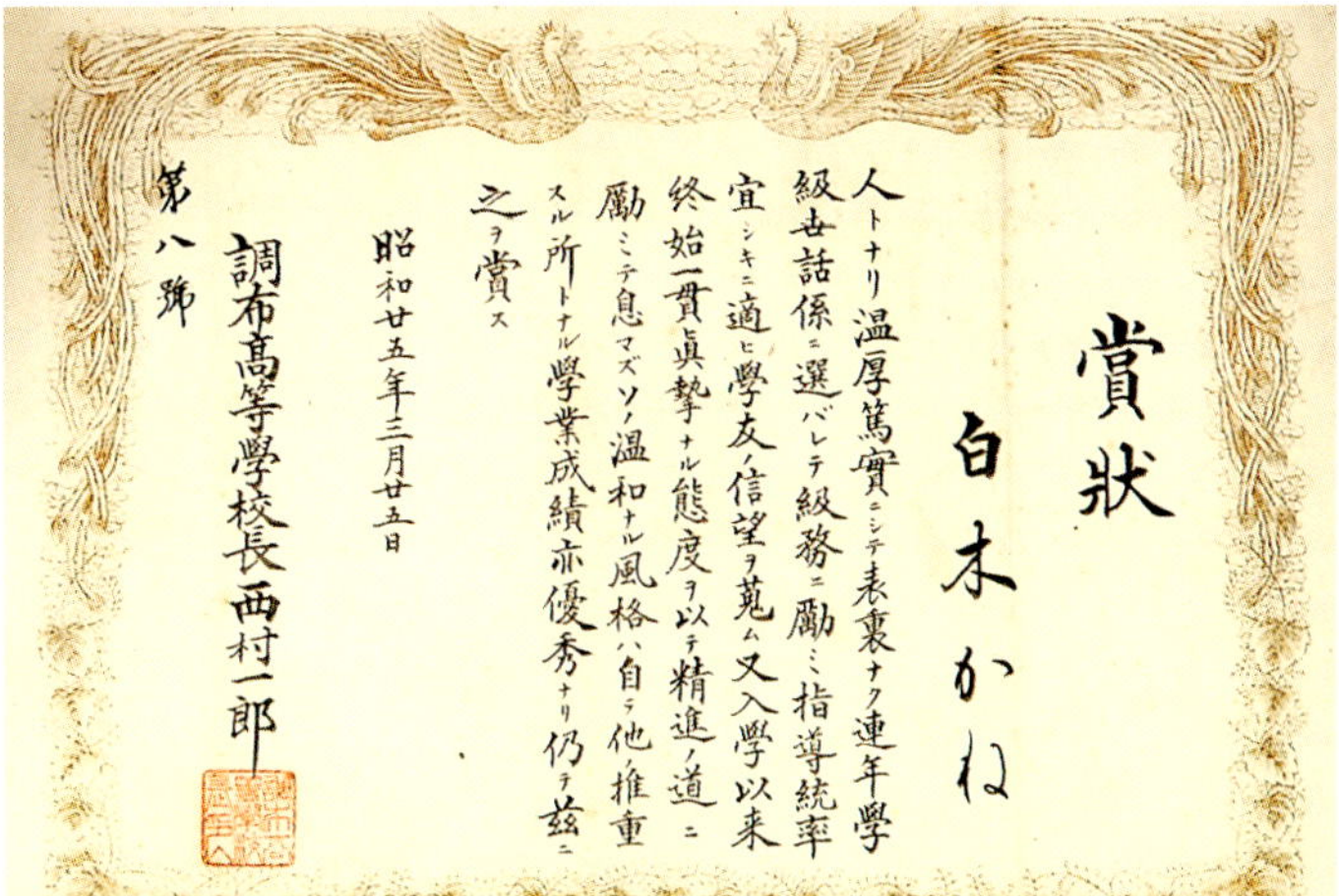
賞状

白木かね

人トナリ温厚篤實ニシテ表裏ナク連年學級世話係ニ選バレテ級務ニ勵ミ指導統率宜シキニ適ヒ學友ノ信望ヲ蒐ム又入學以来終始一貫眞摯ナル態度ヲ以テ精進ノ道ニ勵ミテ息マズソノ温和ナル風格ハ自ラ他推重スル所トナル學業成績亦優秀ナリ仍テ茲ニ之ヲ賞ス

昭和廿五年三月廿五日

調布高等學校長西村一郎

第八號

調布学園時代の賞状

ないのです。（笑）当時で千円とか三千円とか、少ない金額《きんがく》を出してくるのが平気《へいき》なんです。勤《つと》めるまでは、銀行《ぎんこう》というところはたくさんのお金を預《あず》けたり引き出したりしなくては、なにか恥《は》ずかしいような感覚《かんかく》でした。（笑）しかし当時、銀行側《ぎんこうがわ》は、こまめな引き出しを、むしろ歓迎《かんげい》しておりましたから。

銀行に勤めていたおかげで、よかったなあと思うことが、ずいぶんとありました。（笑）

対人関係《たいじんかんけい》の面《めん》でも勉強《べんきょう》になりました。

それまでは女学校でしたから、職場《しょくば》で初《はじ》めて男性《だんせい》の人たちと一緒《いっしょ》の場にいるという経験《けいけん》をしました。同僚《どうりょう》の方《かた》の中に男性がいるという、つまり私なりの一種《いっしゅ》の社会化《しゃかいか》でしょうか。人との接《せっ》し方を学ばせていただきました。

――仕事《しごと》と学会での活動《かつどう》の両立《りょうりつ》に悩《なや》むこともありましたか。

私が勤め始《はじ》めました昭和《しょうわ》二十五（１９５０）年は、学会では戸田先生《とだせんせい》の第二代会長《だいにだいかいちょう》推戴《すいたい》へ機運《きうん》が高まっていった年でした。その翌年《よくねん》の昭和二十六（１９５１）年の五月三日には、待《ま》ちに待った戸田先生の会長就《しゅう》任式《にんしき》を迎《むか》えましたので。

この年（昭和二十六年）の夏、七月十九日に女子部《じょしぶ》の結成《けっせい》もございました。私も最《さい》初《しょ》の七十四人の一人として参加《さんか》しておりました。

その結成式《けっせいしき》のあとだったと思うのですが、皆《みな》で歌を歌うことになりまして、中心《ちゅうしん》者《しゃ》の方から、突然《とつぜん》、私が指名《しめい》されました。

私がちょっと戸惑《とまど》っておりますと、戸田先生が、その方に「人前《ひとまえ》で歌うのが好《す》きなのかどうか、指導者《しどうしゃ》は、同志《どうし》のそういうことも頭に入れておかないといけないのだよ」と言われて、かばってくださったことを覚《おぼ》えています。

戸田先生は、座談会《ざだんかい》などで、わが家《や》にいらしてましたから、私のこともよくご存《ぞん》じで、一切《いっさい》を見守《みまも》ってくださっていたのですね。

勤めだして一年目は、仕事のほうに没頭《ぼっとう》せざるを得《え》なかったという感《かん》じです。ですから、算盤《そろばん》もうまくなったと思うのですが。（笑）

その間、せめて座談会にはと思い、出席《しゅっせき》しておりました。

二年目は、仕事の係《かかり》が集計《しゅうけい》係から総務《そうむ》係に配置《はいち》換《が》えになりました。少しずつ、いろいろと時間の工夫《くふう》もできるようになりまして、なるべく学会活動《がっかいかつどう》と両立《りょうりつ》させていくように努《つと》めました。

いまでもそうですが、この「両立」というのが、口《くち》では唱《とな》えやすく、実《じつ》のところは大変《たいへん》むずかしいことです。

しかし「両立」へ努力《どりょく》することが、将来《しょうらい》になってみますと、自分自身《じぶんじしん》の境涯《きょうがい》を広げ、福運《ふくうん》を積《つ》み、生活力《せいかつりょく》、生命力《せいめいりょく》となって、人生を大きく開《ひら》いていく礎《いしずえ》になることは、確《たし》かだと思います。

第2章

恋愛と結婚

全力疾走《ぜんりょくしっそう》の夫《おっと》とともに 初心《しょしん》を貫《つらぬ》く

十九歳になった白木《しらき》かねさんが出会った「運命《うんめい》の人」は、父の薫次《しげじ》さんとは、対照《たいしょう》的《てき》といってもいい青年でした。

青年のころの池田氏《いけだし》は、結核《けっかく》を患《わずら》っていたため、体が弱く、ガリガリにやせ細っていたそうです。師匠《ししょう》である戸田城聖氏《とだじょうせいし》が「大作《だいさく》は、三十歳までしか生きられないかもしれない」と涙《なみだ》ながらに嘆《なげ》いたという話が伝《つた》わっているほどです。しかも、というべきか、それなのに、といったほうがいいのか、池田氏は周囲《しゅうい》があぜんとするほど、すべてにけた外《はず》れな青年でもあったようです。

体が弱く、三十歳までしか生きられないかもしれないけた外れの青年。これでは、かなり減点《げんてん》されてもしかたがない存在《そんざい》といってもいいでしょう。でも、かねさんは違《ちが》っていました。「いわゆる力《ちから》のある大きな人という感《かん》じで、すごく印象的《いんしょうてき》でした。というよりも魅《み》せられました」と、池田青年の本質《ほんしつ》を見抜《みぬ》いたのです。

池田青年は周囲の視線《しせん》などまったく意《い》に

介《かい》さず、平然《へいぜん》としていたようです。それがかえってよかったのかもしれません。「私は、そういう人に喝采《かっさい》をするほうだったのです」と、かねさんはご自分を分析《ぶんせき》しています。

すでに気づかれた方《かた》もいらっしゃると思いますが、かねさんは、どんなときも冷静《れいせい》に状況《じょうきょう》を判断《はんだん》して、必《かなら》ずよい方向《ほうこう》へ考えを進《すす》めていき、結果《けっか》を出します。裁縫《さいほう》も、「下手《へた》だった算盤《そろばん》」も自分のものにしてしまいました。究極《きゅうきょく》のプラス思考の持《も》ち主《ぬし》といってもいいでしょう。

そして、控《ひか》えめな美少女《びしょうじょ》・かねさんは、「優《やさ》しいなかにも、不正《ふせい》に対《たい》しては、きちんと発言《はつげん》される勇気《ゆうき》」を持《も》っていました。

昭和《しょうわ》四十一（1966）年の「主婦《しゅふ》の友《とも》」7月号《ごう》に「美《うつく》しい花《はな》を咲《さ》かせるための根《ね》っこになろう」という対談《たいだん》があります。当時三十八歳の池田氏と作家の有吉佐和子《ありよしさわこ》さんのビッグな顔合わせです。三十二歳で創価《そうか》学会会長《がっかいかいちょう》に就任《しゅうにん》して、それから六年後のことでした。

その中に、こんな対話《たいわ》がありました。

池田　女房《にょうぼう》はおとなしい。(笑) 口出しもいっさいいたしません。（笑）戸田先生が会長《かいちょう》に就任《しゅうにん》なさったあくる年、昭《しょう》和《わ》二十七年に結婚式《けっこんしき》をあげました。昭和三十五年五月三日に、会長になって、その日、家に帰ってきたら、女房《にょうぼう》が、「今日《きょう》の就任式《しゅうにんしき》を私はお葬式《そうしき》だと思っています」と言いました。

有吉《ありよし》「お葬式と思う」とおっしゃったんですか。それはおとなしくないかもしれない。（笑）

のちに有名になった、このエピソードについて「私をそういう気持《きも》ちに作り直《なお》したのは、やっぱり主人《しゅじん》だったと思います」と微笑《ほほえ》む夫人《ふじん》は、池田氏《いけだし》が見込《みこ》んだとおりの妻《つま》になっていました。

「夢《ゆめ》のある、ロマンにあふれた人」、そして「何かを託《たく》せる存在感《そんざいかん》のある人間」として、かねさんが池田青年を意識《いしき》し始《はじ》めたころ、池田氏の心にも大きな変化《へんか》が起《お》きていました。

大志《たいし》を抱《いだ》く池田青年が、かねさんの資質《ししつ》に気づかないはずはありません。お二人の結婚には、創価学会《そうかがっかい》の未来《みらい》がかかっていたのです。

昭和35年８月、京都にて（撮影・池田大作）

妻《つま》が、私の目の前に一人の若《わか》い女性《じょせい》として急《きゅう》に浮《う》かび上《あ》がってきたのは、昭和《しょうわ》二十六年の夏である。

蒲田《かまた》にある新潟鉄工所時代《にいがたてっこうしょじだい》、荏原中学校《えばらちゅうがっこう》の学徒動員《がくとどういん》で来ていた白木《しらき》という学生《がくせい》がいた。その後、彼《かれ》の家が戦前《せんぜん》からの創価学会《そうかがっかい》の会員《かいいん》であることを知った。ある会合の帰《き》路《ろ》、彼は「妹《いもうと》です」といって、彼女《かのじょ》を紹介《しょうかい》したのである。

当時、彼女は都心《としん》の銀行《ぎんこう》に勤《つと》めていた。やがて幾度《いくど》となく顔を合わせることが多くなった。

（池田大作著『私《わたくし》の履歴書《りれきしょ》』〈日本経済新聞《にほんけいざいしんぶん》社《しゃ》〉より）


――「ある会合の帰路」に、お二人が出会われたとき、未来《みらい》の夫《おっと》に、どんな印象《いんしょう》を持《も》たれたのでしょう。


その会合といいますのは、千代田区《ちよだく》の西《にし》神田《かんだ》にあった小さな学会本部《がっかいほんぶ》で、戸田先生《とだせんせい》が毎週、金曜日に行われていた御書《ごしょ》（日蓮《にちれん》の遺文集《いぶんしゅう》）の講義《こうぎ》です。いわゆる「金曜講義」と呼《よ》ばれていました。

それは、早く行かないと部屋《へや》に入れないくらいで、階段《かいだん》まで満員《まんいん》になるのです。その講義に、兄も私も通《かよ》っていました。

そうしたある日、兄と主人《しゅじん》が「あ……」

と言い合って、挨拶《あいさつ》を交《か》わしたのです。二人は顔見知りだったのですね。

戦時中《せんじちゅう》、主人が蒲田の新潟鉄工所で働《はたら》いていたときに、友人と読書の感想《かんそう》などを語り合うグループをつくっていました。兄も中学生の学徒動員で同じ工場に勤めていた関係《かんけい》で、そのグループに顔を出していたようです。

戦後《せんご》は、お互《たが》いバラバラになって、会う機会《きかい》もなかったのが、数年後に再会《さいかい》したわけです。

主人の住《す》まいは大森《おおもり》でしたから、神田からは私たちの帰りと同じ方角《ほうがく》の電車になります。私は兄の横で、つり革《かわ》を握《にぎ》っておりました。

兄は主人に「妹です」と紹介し、主人は「ああ、そうですか」と会釈《えしゃく》を交わし、そのまま兄と話し込《こ》んでいました。それが出会いでした。

その後も何度《なんど》か、一緒《いっしょ》に帰る機会がありました。

私は、小学生のときに教《おそ》わった担任《たんにん》の辻《つじ》先生《せんせい》も一緒の方角だったので、むしろ辻先生とお話をしながら、そして主人は兄と話をしながら帰っておりました。ですから、そのころは、お互いにそれほど意識《いしき》した存《そん》在《ざい》ではなかったと思います。

所属《しょぞく》は、同じ蒲田支部《かまたしぶ》でした。

立宗満七百年《りっしゅうまんななひゃくねん》の記念《きねん》に学会の事業《じぎょう》として、日蓮大聖人《にちれんだいしょうにん》の御書全集《ごしょぜんしゅう》が発刊《はっかん》されました。各自《かくじ》が何冊購入《なんさつこうにゅう》するか、支部で打《う》ち合《あ》わせをしたことがありました。

そのとき、御書の編纂《へんさん》に携《たずさ》わった主人《しゅじん》は「百冊」って言うのです。一冊一二〇〇円で、あのころとしては大変《たいへん》に高価《こうか》なものでした。

ですから、皆《みな》さんは、注文《ちゅうもん》はせいぜい二冊か三冊、多くても五冊でしたのに、主人は「百冊」だと。（笑）

主人は、そういうふうに、ほかの人とはけた外《はず》れでした。

母は、そうしたけた外れな話に「池田《いけだ》さんは大風呂敷《おおぶろしき》」と言っていました。（笑）同じ支部で、母も幹事《かんじ》、主人も幹事というときでしたので。

母は「大風呂敷」と言いましたが、それをその場で聞いていた私は、何と言えばいいのかしら、いわゆる力《ちから》のある大きな人という感《かん》じで、すごく印象的《いんしょうてき》でした。というよりも魅《み》せられました。（笑）

母などが言いますのには「池田さんはオーバーで」となりますが、主人は主人で「大風呂敷でも包《つつ》めばいいんでしょ」と言ったことがあります。（笑）

私は、そういう話に喝采《かっさい》をするほうだっ

講義をする戸田城聖第二代会長

西神田の旧学会本部

たのです。（笑）

ときどき会って多摩川《たまがわ》べりを歩いたときでも、話が世界全体《せかいぜんたい》のことから宇宙《うちゅう》のことへ飛躍《ひやく》しますし、（笑）夜空の星々のことを語りながら、学会の在《あ》り方《かた》や将来《しょうらい》の構想《こうそう》へどんどん進《すす》んでいきますので、私としては、スケールの壮大《そうだい》なその話に、耳を傾《かたむ》けていくのが精一杯《せいいっぱい》でした。

慶應義塾《けいおうぎじゅく》の創立者《そうりつしゃ》・福沢諭吉先生《ふくざわゆきちせんせい》の思想《しそう》は、昔《むかし》から好《す》きなようでした。よく「衆心《しゅうしん》の発達《はったつ》」ということを言っておりました。それを、私のような者《もの》にもわかるように話してくれました。

その「衆心」とは民衆《みんしゅう》の精神《せいしん》であり、その心情《しんじょう》であり、それを発達させて初《はじ》めて本当の文明になるのだ。これが、福沢先生が主張《しゅちょう》される真髄《しんずい》の一つなんだよ、というように。

そういう話をしたあとに、「これも読みなさい」「あれも読みなさい」というのです。本の話をよく聞かされました。なかでも長与善郎《ながよよしろう》さんの『竹沢先生《たけざわせんせい》と云《い》ふ人《ひと》』とか、バイロン詩集《ししゅう》とかは、しきりに薦《すす》められますもので、私も読みました。鶴見祐輔《つるみゆうすけ》さんの『ナポレオン』もでした。

——ご主人《しゅじん》から紹介《しょうかい》された本で、いちばん印象《いんしょう》に残《のこ》っている本は、何でしょうか。

アレクサンドル・デュマの『モンテ・クリスト伯《はく》』。「巌窟王《がんくつおう》」の物語《ものがたり》でしょうか。ヴィクトル・ユゴーの『レ・ミゼラブル』も、心《こころ》に残っております。

主人は、もともと文学青年でしたから、社会や組織《そしき》の悪弊《あくへい》に対《たい》しては鋭《するど》い反発《はんぱつ》があったようです。「人間主義《にんげんしゅぎ》の組織であれ」とよく言っていました。

戸田先生《とだせんせい》からも「学会を自分が理想《りそう》とする組織にしたらいいではないか」と言われたと、主人から聞いておりました。

みんなが、それぞれに生き生きとして活《かつ》動《どう》できる組織、それを自分はつくりたいのだと。青年時代《じだい》から私に語る理想は、そういうことばかりでした。

戸田先生も、結婚式《けっこんしき》での祝辞《しゅくじ》で「男は力《ちから》を持《も》たねばならない」と言ってくださったのですけれど、女性《じょせい》は、高い理想とともに力を持つ男性《だんせい》に魅力《みりょく》を感《かん》じるのではないでしょうか。

主人のように、夢《ゆめ》のあるロマンにあふれた人は、私の周《まわ》りには、あまりいませんでした。

ふつう男性像《だんせいぞう》といいますと、若《わか》いときの女性《じょせい》はよく父親《ちちおや》と比較《ひかく》するといわれます。それが、理想《りそう》の男性像になる場合もありましょうし、逆《ぎゃく》の場合もあるといわれますね。

戸田先生《とだせんせい》はまた、祝辞《しゅくじ》の中で、「妻子《さいし》に心配《しんぱい》をかけるような男は、社会で偉大《いだい》な仕《し》事《ごと》はできない」ともおっしゃってくださいました。

父は、その点、家族《かぞく》に心配をかける人ではありませんでしたから、私はあまり父を意識することはなかったように思います。（笑）

ともあれ、主人《しゅじん》のような男性は、際立《きわだ》っていたというだけではなく、何かを託《たく》せる存在感《そんざいかん》のある人間として魅力《みりょく》を感《かん》じました。


七月のある日、私は学会員宅《がっかいいんたく》で予定《よてい》されていた会合に飛《と》び込《こ》んだ。

そこには彼女《かのじょ》が一人だけいた。戸外では雷鳴《らいめい》が遠く近く鳴り、静寂《せいじゃく》な部屋《へや》の中には二人だけの沈黙《ちんもく》が支配《しはい》していた。二十三歳という青春の脳細胞《のうさいぼう》の仕業《しわざ》であったのであろうか、私は、かたわらにあったワラ半紙に、一片《いっぺん》の叙情詩《じょじょうし》を書いて渡《わた》した。

結婚式（昭和27年 5 月 3 日）

「吾《わ》が心嵐《こころあらし》に向《む》かいつつ
吾が心高鳴《たかな》りぬ……」

夢中《むちゅう》だったにちがいない。紙片《しへん》が広げられようとしたとき、私はそれを押《お》し止《とど》め、「あとで……」といった。

彼女《かのじょ》はハンドバッグに素直《すなお》にしまいこんだ。

詩《し》はさらに――

「嵐に高鳴るか吾が心よ」とつづき、

「ああ吾が心汝《なんじ》の胸《むね》に泉《いずみ》を見たり
汝の胸に花咲《はなさ》くを願《ねが》いたり」と。

（『私《わたくし》の履歴書《りれきしょ》』より）


――憧《あこが》れの男性《だんせい》から、こんなロマンチックな詩をいただいて、どんなお気持《きも》ちだったでしょうか。

あのころ、女子部《じょしぶ》の班長《はんちょう》だった私は、川崎市《かわさきし》にある拠点《きょてん》のお宅《たく》で、皆《みな》さんがいらっしゃるのをお待《ま》ちしていました。

そのときのことです。しかし私のほうは、そこまで思ってはいなかったのです。まだ結婚《けっこん》とか何とかは、全然《ぜんぜん》、頭にありませんでした。しかし、そのおりにいただいた詩が、そもそも相聞《そうもん》（恋《こい》）の詩でしたから、私はびっくりしたのです。

それまでは、主人《しゅじん》を憧れて見ていただけでした。あそこで詩をもらってから、そういう気持ちが生まれたということです。主人は、何と言うか知りませんけれど。（笑）びっくりしましたが、それで心が決《き》まったのも事実《じじつ》です。

そのころ、主人が戸田先生《とだせんせい》のもとで勤《つと》めていた会社は、市ヶ谷《いちがや》にありました。一方の私は、矢口渡《やぐちのわたし》の駅《えき》から乗《の》って、蒲田《かまた》で乗《の》り換《か》えて、有楽町《ゆうらくちょう》まで通《かよ》っていました。

ですから、よく大森《おおもり》の駅で一緒《いっしょ》に乗り合わせるようにするわけです。（笑）電車はすごく満員《まんいん》ですから、別《べつ》に話をするというのではないのですが……。それで手紙の交《こう》換《かん》が始《はじ》まりました。

あの相聞の詩は、持《も》ち合《あ》わせの伝票《でんぴょう》の裏《うら》紙《がみ》にサーッと書いてくれたものです。それを、ずっとハンドバッグの中に入れて持っていました。いまではボロボロになっていますけれど、大切にしています。

目蒲線《めかません》で、時々《ときどき》見かける美《うつく》しい女性《じょせい》がいた。どこに行くのだろう。どういう家の娘《むすめ》さんだろうと思っていた。

あるとき、大作《だいさく》が、一人の女性を家に連《つ》れてきた。なんと、その美しい人であった。

本当に驚《おどろ》いた。
（兄の故《こ》・池田増雄《いけだますお》さんの話）

手紙でも、主人《しゅじん》は一生懸命《いっしょうけんめい》、私を育《そだ》ててくれる感《かん》じでした。

信仰《しんこう》に関《かん》しても、戸田先生《とだせんせい》に関しましても、私はまだまだ、わかっていない時期《じき》でしたので。

主人は、そのころから、もう自分の使命《しめい》というものを自覚《じかく》しておりました。全部《ぜんぶ》、自分の胸《むね》のうちに収《おさ》めていたのでしょうね。

ですから結婚《けっこん》したのち、会長就任《かいちょうしゅうにん》の日の夕《ゆう》べに、私が「お葬式《そうしき》と思います」と申《もう》したことが有名《ゆうめい》になったようですが、私をそういう気持《きも》ちに作り直《なお》したのは、やっぱり主人だったと思います。（笑）

アンドレ・モロアの結婚訓《けっこんくん》に「結婚に成《せい》功《こう》する最《もっと》も肝要《かんよう》な条件《じょうけん》は、婚約《こんやく》の間に永遠《えいえん》のつながりを結《むす》びたいという意志《いし》が真剣《しんけん》である事《こと》だ」とあるが、二人とも幾多《いくた》の苦難《くなん》の坂《さか》も励《はげ》ましあって進《すす》もうと語りあった。

私は聞いた。生活が困窮《こんきゅう》していても、進まねばならぬ時があるかもしれない。早く死《し》んで、子どもだけと取《と》り残《のこ》されるかもしれない。それでもいいのかどうか、と。

彼女《かのじょ》は「結構《けっこう》です」と微笑《ほほえ》みながら答えてくれた。

私ども二人の心中を訊《き》かれた戸田先生は、双方《そうほう》の親への了解《りょうかい》をとってくださることになった。夏が過《す》ぎ、秋も去《さ》った冬の寒《さむ》いある日である。（『私《わたくし》の履歴書《りれきしょ》』より）

――ご結婚までの道のりをお聞かせください。

「結婚とは、互《たが》いの目を見つめ合うことではなく、互いに共通《きょうつう》の目標《もくひょう》を見つめて協力《きょうりょく》して歩むことだ」と、主人はよく青年たちに語ります。

私たちの婚約前後には、戸田先生が、「いわゆる恋愛《れんあい》をして、それで、恋愛をしたことによって両方《りょうほう》がよくなれば、それはいい恋愛だ」とおっしゃっていただきました。

「両方が駄目《だめ》になってゆくようであれば、それは悪《わる》い恋愛だ」ということも言われました。戸田先生の言い方は、そういうところが大変《たいへん》に明快《めいかい》でした。（笑）

戸田先生《とだせんせい》は「すごいやつを香峯子《かねこ》は射止《いと》めたなあ」と言われました。

すると叔母《おば》さん（香峯子夫人《ふじん》の母・静子《しずこ》さん）が、「大《だい》ちゃんは、大風呂敷《おおぶろしき》なので」と。

戸田先生はお笑《わら》いになって「大風呂敷でも、いまに見ていてごらん」と応《おう》じられましてね。とにかく「すごい男だよ」と。

そのときは私、戸田先生のおっしゃる意《い》味《み》がよくわからず、叔母さんもきょとんとした顔をしておられました。

（学会本部《ほんぶ》・会長室でのエピソード。その場に居合《いあ》わせた親戚《しんせき》の故《こ》・白木文《しらきふみ》さんの話）


そうそう、「大風呂敷」の話ですね。（笑）

母がそうして戸田先生のところへ伺《うかが》ったことは、ずっとあとになって知りました。

あのころの青年部《せいねんぶ》は人が少ないものですから、私たちのことが噂《うわさ》になっては、と心《しん》配《ぱい》していたのかもしれません。

母は、おつきあいのことは知っていたと思うのですが、結婚《けっこん》については、まだ若《わか》すぎる、という思いもあったようです。婚約《こんやく》が決《き》まったのが十九の年で、嫁《とつ》いだのは、やっと二十歳《はたち》になった昭和《しょうわ》二十七（１９５２）年の五月三日でした。

何事《なにごと》も前へ前への母でしたので、ひとたび話が決まった以上《いじょう》は、応援《おうえん》してくれまし

新婚時代

た。戸田先生《とだせんせい》が後《うし》ろ盾《だて》でしたから。嫁《とつ》ぐ段階《だんかい》では、母からの特別《とくべつ》な言葉《ことば》はありませんでした。

とにかく「ちゃんと信心《しんじん》をして、戸田先生についていけば間違《まちが》いはないから」というだけでした。

――プロポーズの言葉は？

「信頼《しんらい》してついておいで」と言ってくれました。

でも、いまになって考えてみると、私のほうが主人《しゅじん》の人間的《にんげんてき》な魅力《みりょく》にひかれて、まっしぐらという感《かん》じでした。（笑）

――いちばん強くひかれたのは、どういう点でしたか？

主人が、自分の師匠《ししょう》を最高《さいこう》に尊敬《そんけい》し、讃《たた》えていたことです。十九歳から偉大《いだい》な師匠を持《も》って、お仕《つか》えしたことを、何よりも誇《ほこ》りとしていました。

「金銭《きんせん》でも、名誉《めいよ》でもない。最高の師匠に出会い、教《おそ》わったことを、最高の幸福者《こうふくもの》と

昭和29年ごろ

思う」と語っていました。

——師匠《ししょう》の戸田先生《とだせんせい》とは、ご夫妻《ふさい》として、たくさんの思い出があるでしょうが、一つ二つ、お聞かせください。

そうですね。

一つは、結婚式《けっこんしき》のとき、数十人の小宴会《しょうえんかい》の席上《せきじょう》でのことです。戸田先生からの祝辞《しゅくじ》は、「二人して、青春時代《せいしゅんじだい》に決《き》めた信念《しんねん》の道を、最後《さいご》まで貫《つらぬ》き通していっていただきたい」と簡潔《かんけつ》に言われました。

また、いちばん師匠が尊《とうと》くありがたく思えた思い出として、「大作《だいさく》は三十歳まででしか生きられないかもしれない」と言われて、滂沱《ぼうだ》の涙《なみだ》を流《なが》して泣《な》かれたことがあります。それは、十数人の幹部《かんぶ》が、先生のそばに集《あつ》まったときのことです。その中に父がおり、あとから聞きました。弟子《でし》たちは皆《みな》、驚《おどろ》いたようです。

師匠というものは、どれほど偉大《いだい》であり、弟子《でし》を思う気持《きも》ちが、どれほど深《ふか》く、すごいものかということを、改《あらた》めて感《かん》じとりました。

戸田先生は、仏法流布《ぶっぽうるふ》のために、日本中を回られていました。夫《おっと》も一緒《いっしょ》のときが多

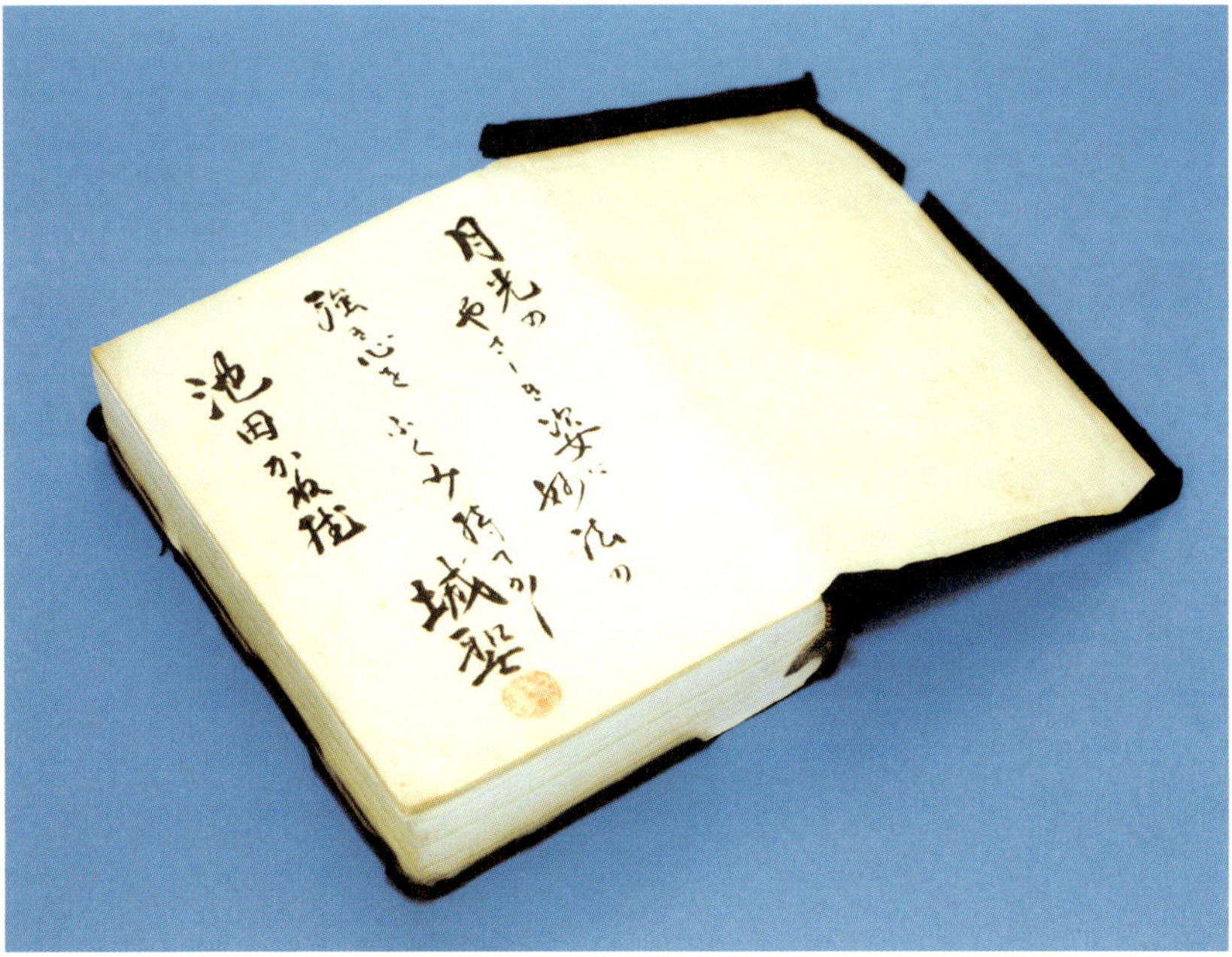
月光の
やさしき姿に妙法の
強き心をふくみ持つべし
城聖
池田かね殿

戸田城聖氏から贈られた御書

かったです。

戸田先生《とだせんせい》が地方へ出発《しゅっぱつ》されるときは、どんなに朝早くとも、羽田空港《はねだくうこう》でも、上野駅《うえのえき》でも、私は子どもを抱《かか》えて、お見送《みおく》りに行きました。また、ご帰京されるときも、夜《よる》遅《おそ》くであれ、誰《だれ》もいなくとも、お出迎《でむか》えに行ったものです。たまに、二、三人の幹部《かんぶ》の方《かた》がご一緒《いっしょ》のこともありました。

これは、戸田先生の弟子《でし》として、先生がお亡《な》くなりになるまで、続《つづ》けさせていただきました。

あるとき、ある会合で、先生が「香峯子《かねこ》は組織《そしき》の役職《やくしょく》は低《ひく》いけれど、今日《きょう》、たった一人の〝送迎部長《そうげいぶちょう》〟に任命《にんめい》する」と言ってくださった思い出があります。

――結婚指輪《けっこんゆびわ》はいただきましたか。

ええ。「ダイヤだよ」と言われてもらった指輪には、ダイヤが二つ、ついていました。「二人という意味《いみ》だ」と言っていました。

ところが、それが、年々、輝《かがや》かなくなっていくのです。(笑)

実《じつ》は、ジルコン(ダイヤモンドのように

結婚指輪

池田氏が贈ったアメリカ土産の
ピルケース(イラスト・美喜《みき》 薫《かおる》)

つやのある鉱石《こうせき》）だったのです。（笑）いまとなっては、懐《なつ》かしい思い出です。

――ほかに何か、思い出のプレゼントはありますか。

そうですね。主人《しゅじん》がアメリカを初訪問《はつほうもん》したときお土産《みやげ》を買ってきてくれたんです（昭和《しょうわ》三十五〈1960〉年十月）。

それは、小さな小さなピルケース（薬箱《くすりばこ》）で、ふたにはエメラルドのように輝《かがや》く宝石《ほうせき》がついていました。「本物《ほんもの》だよ。高いんだよ」と言って、手渡《てわた》してくれました。

ところが、その後、私も一緒《いっしょ》にアメリカへ行ったとき、たまたま道端《みちばた》の露店《ろてん》で、それと同じものを見つけたのです。

「あらっ、一ドルじゃない！」（笑）

「まずいとこ、見られちゃったな……」（爆笑《ばくしょう》）

二人で大笑《おおわら》いしました。

ただ、主人が最初《さいしょ》にアメリカに行ったときは、外貨《がいか》の持《も》ち出《だ》しも、一人が一日当たり三十五ドルと制限《せいげん》されていた時代《じだい》です。

その中で、主人は、自分たちの食事代《しょくじだい》などはできる限《かぎ》り切《き》り詰《つ》め、その分を現地《げんち》の同志《どうし》のためにと心《こころ》がけていました。

ですから、小さな「一ドルのピルケース」にも、（笑）お金で計れない大きな真心《まごころ》が込《こ》められていたんだなと感《かん》じます。

――小説《しょうせつ》『人間革命《にんげんかくめい》』を拝見《はいけん》しますと、結婚式《けっこんしき》で、戸田会長《とだかいちょう》は「主人を駄目《だめ》にするような女房《にょうぼう》だったらば、そのときは女房を追《お》い出《だ》す」と言われてますね。

そして「私は二人をどこまでも守《まも》っていきます。二人とも、また、この覚悟《かくご》でいってほしい」とも言われ、この「最愛《さいあい》の一言《ひとこと》は、二人の胸《むね》に直角《ちょっかく》に突《つ》き刺《さ》さった」と書かれていましたが……。

本当にそうでした。それまでは、私は戸田先生にじかに訓練《くんれん》されるというよりは、主人に訓練されていたわけです。

結婚式のときに、戸田先生から言われたことは、「家計簿《かけいぼ》をつけること」と、「朝晩《あさばん》、出勤《しゅっきん》するときと帰宅《きたく》するときは、笑顔《えがお》で送《おく》り迎《むか》えしなさい。どんなに不愉快《ふゆかい》なことがあろうと」ということです。

それもこれも、おかげさまで、無理《むり》なく自然《しぜん》にそういう形になりました。

家計簿と日記《にっき》は、結婚以来《いらい》、つけてきました。

家計簿は、ちょっとつけていないと、すぐたまりますしね。たまると、もうわからなくなります。ちゃんとつけていたことが意外《いがい》な面《めん》で役《やく》に立《た》つこともございました。

家計簿《かけいぼ》には日記欄《にっきらん》がありますし、来客《らいきゃく》や電車賃《でんしゃちん》なども記《しる》しますから、主人《しゅじん》の裁判《さいばん》のときに、そこまで弁護士《べんごし》さんが調《しら》べたのです。

たしか昭和《しょうわ》三十（１９５５）年前後の記《き》録《ろく》ですが、そんな細かいことまで家計簿に残《のこ》っていましたので、「これで事実《じじつ》が明確《めいかく》に裏《うら》づけられました」と弁護士の方《かた》が喜《よろこ》ばれたことがあります。

もちろん、裁判では主人の正義《せいぎ》が立証《りっしょう》されましたが、何が役に立つかわからないものだなと思いました。（笑）

日記のほうは、以前《いぜん》は、家計簿の下の欄《らん》に書くようにしておりましたが、その後は「文化手帖《ぶんかてちょう》」に、近年には、重宝《ちょうほう》な「五年日記」ができましたので、それにつけています。

日記は一日つけないといやになりますから、（笑）旅先《たびさき》でも毎日書くようにしています。

五年日記ですから、私がそれを見て「去《きょ》年《ねん》の今日《きょう》は、こうでしたよ」とか、「一昨《おと》年《とし》はこうだったんですよ」なんて主人に伝《つた》えると、すごく頭がいいと思うらしいのです。（笑）

結婚以来つけてきた家計簿

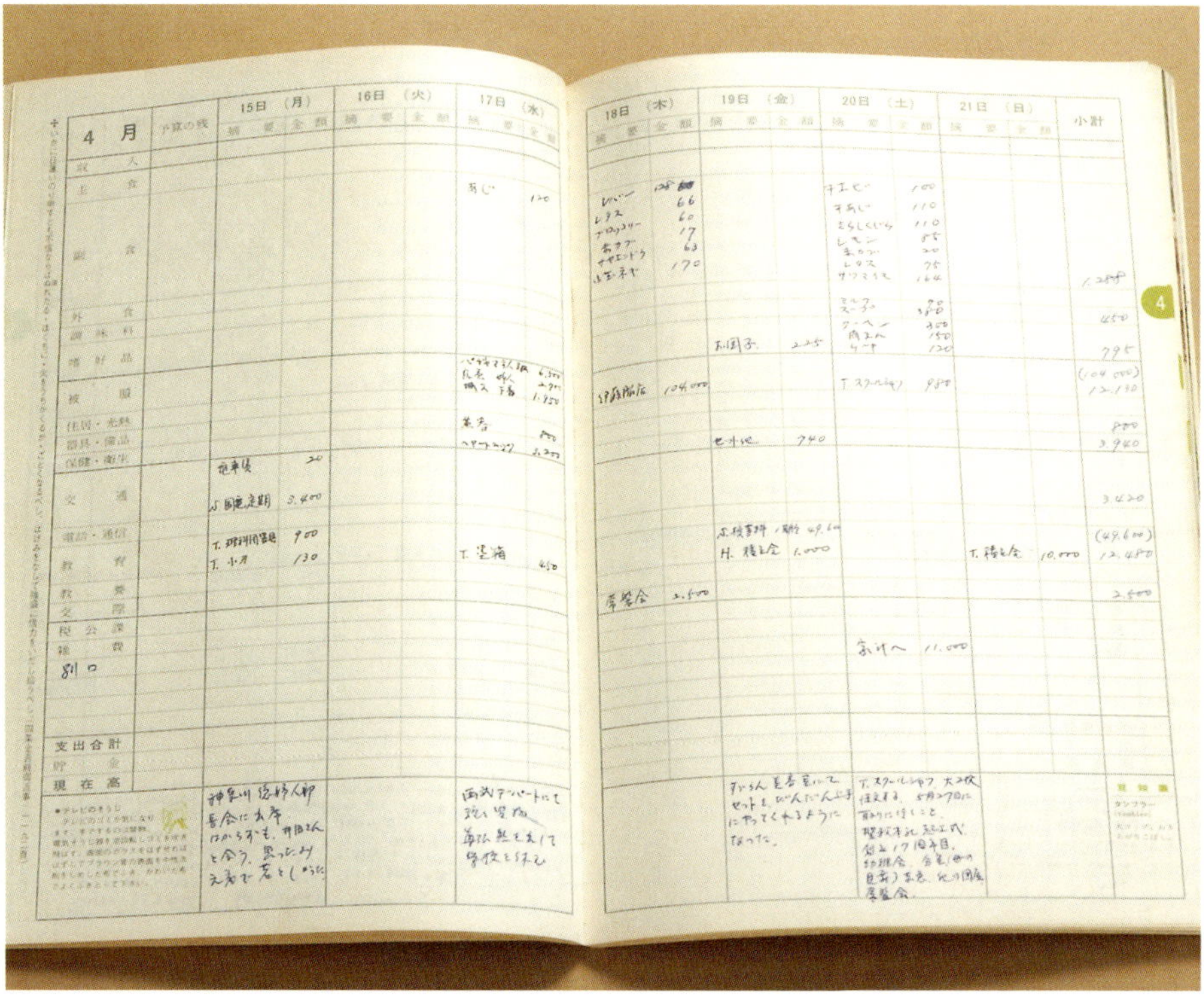

昔《むかし》は、主人《しゅじん》が自分で小さな手帳《てちょう》に必《かなら》ずスケジュールを書いていました。その後、私が記録《きろく》するようになりましたので、今日《きょう》はどこに行って、どういう会合《かいごう》があるか、ということは常《つね》に知っていました。

新婚《しんこん》の旅《たび》で二人が語り合ったことは――生涯《しょうがい》、戸田城聖先生《とだじょうせいせんせい》に師事《しじ》すること、創《そう》価学会《かがっかい》から離《はな》れないこと、そして、社会のためにプラスになることをすること、人のために尽《つ》くすことを厭《いと》わない……などであった。（『人間革命《にんげんかくめい》』〈聖教新聞社《せいきょうしんぶんしゃ》〉より）

「夫婦《ふうふ》は一つ、男は足、女は体というたとえもある。男は矢《や》で、女は弓《ゆみ》だからね。わかったね」と主人は語りました。「もちろんでございます」と私は答えました。

皆《みな》さん方《がた》も、大なり小なり同じではないでしょうか。ただ、その初心《しょしん》を貫《つらぬ》いてこられたという点では、幸《さいわ》いだったと思います。後悔《こうかい》の人生はいやですもの。

乗《の》り越《こ》えるべき山河《さんが》は、それは幾多《いくた》もございました。しかし、主人は常に全力疾走《ぜんりょくしっそう》ですので、私はそれについてゆくばかりで、ほとんどあとを振《ふ》り返《かえ》るゆとりがなかった、というのが実情《じつじょう》です。

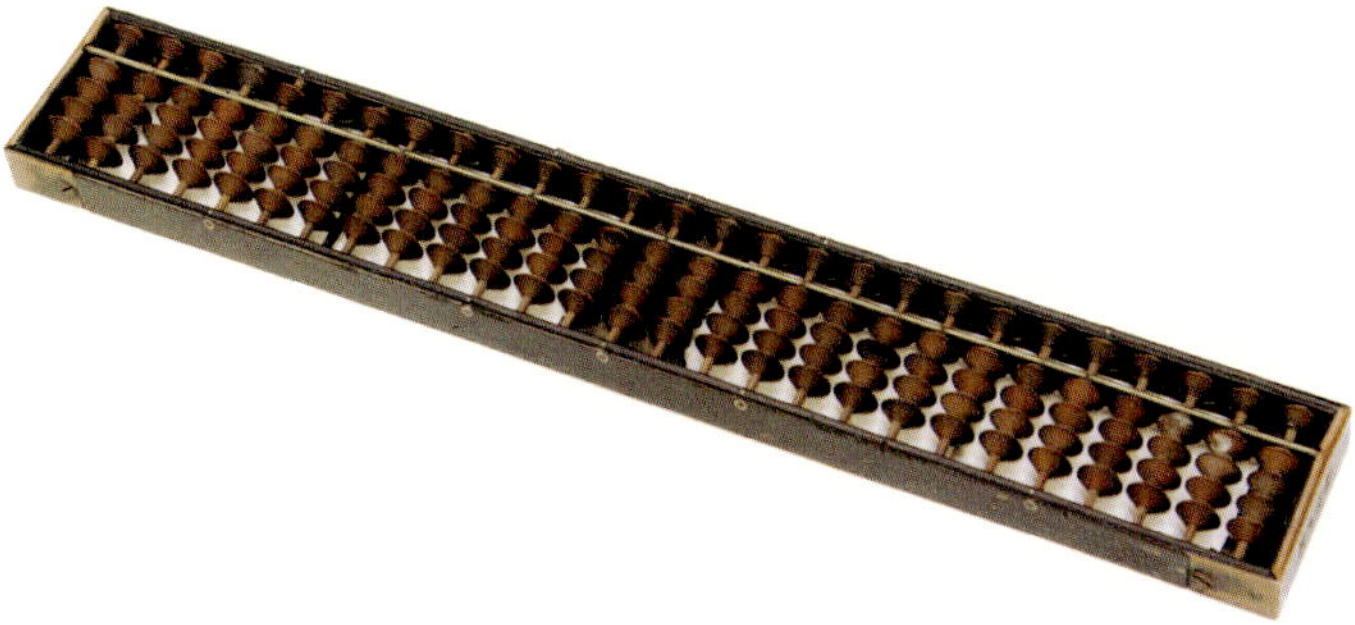

結婚当時に使用していた算盤（上）と電気コンロ（下）

お互《たが》いに出発点《しゅっぱつてん》を忘《わす》れず、どこまで行っても共通《きょうつう》の目標《もくひょう》を見失《みうしな》わずに、青春の燃焼《ねんしょう》というのですか、それを一生涯《いっしょうがい》、持続《じぞく》させていくには、励《はげ》まし合いが不可欠《ふかけつ》でしょうね。お互《たが》いに人間同士《にんげんどうし》ですから、励ましはどうしても必要《ひつよう》です。

――どんな新婚生活《しんこんせいかつ》でしたか。とても質《しっ》素《そ》なスタートだったと伺《うかが》っています。

結婚前《けっこんまえ》、主人《しゅじん》は大森《おおもり》のアパートに住《す》んでいました。「青葉荘《あおばそう》」です。昭和《しょうわ》二十四（1949）年五月から住んでいたようです。二階建《かいだ》てのアパートが三棟《みむね》ありまして、九十世帯《せたい》ほどが住まわれていたと聞いております。その一階の一間《ひとま》の小さな部屋《へや》でした。

結婚するのに一間というわけにもいかず、目黒《めぐろ》の従兄《いとこ》の空《あ》いている家を借《か》りて新《しん》居《きょ》としました。

その後、従兄の大阪転勤《おおさかてんきん》が決《き》まり、その家を売却《ばいきゃく》したいと言われたので、アパートを探《さが》して大森《おおもり》・山王《さんのう》の「秀山荘《しゅうざんそう》」に移《うつ》りました。

池田氏が独身時代に住んでいた「青葉荘」

池田先生《いけだせんせい》のお宅《たく》に、あるご夫婦《ふうふ》が見えておられました。

そのご夫婦は、何か事業《じぎょう》のことでちょっと大変《たいへん》な様子《ようす》でした。水炊《みずた》きをごちそうされながら、池田先生が奥様《おくさま》のほうを向《む》かれ、「鍋《なべ》一つで来たんだよ」と言われました。

そして奥様に「あの鍋あるかい」と尋《たず》ねられたら、「はい」と答えられて、そのお鍋を持《も》ってこられたんです。

もう使《つか》い古《ふる》した凸凹《でこぼこ》の鍋でした。「大変《たいへん》であったころを忘《わす》れてはいけないので、しまっている」「大事《だいじ》にしてるんだよ」とおっしゃいました。自然《しぜん》に納得《なっとく》がいくかたちで、さりげなく、その苦境《くきょう》のご夫婦を激励《げきれい》され、指導《しどう》されていたのです。それが非常《ひじょう》に印象《いんしょう》に残《のこ》っています。

（故《こ》・白木文《しらきふみ》さんが大森《おおもり》のお宅を訪《たず》ねたときの話）

母は本当に見《み》えが嫌《きら》いで、家財道具《かざいどうぐ》は二人でそろえていけばいい、という考えでした。いい意味《いみ》での合理的《ごうりてき》な思考《しこう》の女性《じょせい》だったと思います。

姉が結婚《けっこん》しましたときも、物《もの》がない時代《じだい》でしたから、料理《りょうり》は何もなくて、あのころ高級品《こうきゅうひん》だったあんパンを、皆《みな》さんにおつけしての披露宴《ひろうえん》でした。

昭和28年７月、静岡・富士宮への車中。左は母・静子さん

また、私の結婚《けっこん》の時期《じき》も、姉の結婚とさほど離《はな》れていませんでしたので、質素《しっそ》な出《しゅっ》発《ぱつ》でした。そういうことにお金をかけることは考えられませんでした。

結婚前の私の給与《きゅうよ》は、勤《つと》めたところが銀《ぎん》行《こう》ですから、自然《しぜん》に浪費《ろうひ》は慎《つつし》みましたし、（笑）残《のこ》りは母に渡《わた》していました。それを、母が全部《ぜんぶ》貯《た》めておいてくれました。

嫁《とつ》ぐときに母がそれをくれたことと、結婚してから半年くらいたってからでしょうか、厚生年金《こうせいねんきん》が戻《もど》ってきました。

これが、私が働《はたら》いた最後《さいご》のお金だなあと思ったことがあります。

それを定期預金《ていきよきん》にしてずっと貯めまして、昔《むかし》の大石寺《たいせきじ》の奉安殿建立《ほうあんでんこんりゅう》の供養《くよう》にしました。

主人《しゅじん》は、若《わか》いときから体が達者《たっしゃ》ではありませんでした。結婚当時《とうじ》は、やせてヒョロヒョロだったのです。常《つね》に微熱《びねつ》もありました。

しかも、結婚前に想像《そうぞう》していた以上《いじょう》の忙《いそが》しさで、主人は自分の身《み》をかまうゆとりがありませんでした。

戸田先生《とだせんせい》は、「大作《だいさく》を頼《たの》む」「健康《けんこう》が第一《だいいち》だ。まず健康を」と言われました。

私が主人にしてあげられる最大《さいだい》の務《つと》め

は、健康で思《おも》う存分《ぞんぶん》働《はたら》けるよう、陰《かげ》で支《ささ》えることだと思いましたし、それが、私の人生のすべてとなりました。

なんといっても食事《しょくじ》が基本《きほん》なので、食事には、ともかく気をつかいました。

主人は江戸《えど》っ子《こ》で、実家《じっか》は海苔屋《のりや》でした。大好物《だいこうぶつ》は、シャケ（鮭《さけ》）、サバ、イカの塩辛《しおから》、昆布《こんぶ》、海苔などです。それで、一つのものを続《つづ》けて食べる癖《くせ》があって、一週間、サバならサバだけでも平気《へいき》なんです。楽《らく》といえば楽なのですが、（笑）栄養《えいよう》が偏《かたよ》らないように気を配《くば》りました。

早く家に帰ってきて夕食《ゆうしょく》を食べるということは、ほとんどありませんでしたから、あまり食べたがらない野菜《やさい》を、夜食に出すなど工夫《くふう》しましたね。

特《とく》にサバの煮《に》つけは、私のがいちばん照《て》りがよくて、おいしいと言ってくれました。芙蓉蟹《フーヨーハイ》も喜《よろこ》んでくれましたね。

主人は、どんなときも心を集中《しゅうちゅう》して、全《ぜん》身全霊《しんぜんれい》で対話《たいわ》し、講演《こうえん》をいたします。終了《しゅうりょう》すると非常《ひじょう》に疲《つか》れる様子《ようす》なのです。講演などが終《お》わったあとは、マッサージをしてあげていました。

――奥様《おくさま》のほうが、ご主人《しゅじん》から肩《かた》をもんでもらうというようなことはなかったのでしょうか。（笑）

そういえば、主人が会長を勇退《ゆうたい》して間《ま》もないころのことでしょうか（昭和《しょうわ》五十四年四月に勇退）。

結婚以来《けっこんいらい》、初《はじ》めて主人に肩をもんでもらったことがありました。（笑）

会長を辞任《じにん》したあと、会員《かいいん》の方々《かたがた》から、それまでにも増《ま》して、実《じつ》に多くのお手紙をいただきました。一通一通《いっつうい》拝見《はいけん》し、お返事《へんじ》を書いたりしていて、肩がこるようになったのです。

それで自分で肩をたたいていたら、黙《だま》って後ろへきて肩をもんでくれたのです。

結婚三十年にして初めてでした。（笑）

そのとき、すごく指先《ゆびさき》に力《ちから》があって、主人にこんなにも力があったのかと驚《おどろ》いてしまいました。

若《わか》いときから、体が弱いなか、無理《むり》を重《かさ》ねる日々でした。肺《はい》には癒着《ゆちゃく》があって、それこそ、朝起《お》きて体調《たいちょう》がいいと言えるような日は、一日となかったと思います。そんな主人が肩をもんでくれたものですから、それだけに意外《いがい》なほど力強《ちからづよ》く感《かん》じられたのかもしれません。

昭和29年、航空ショーにて

何かの拍子《ひょうし》に、母の嫁入《よめい》り道具《どうぐ》だった鏡台《きょうだい》の鏡《かがみ》が割《わ》れた。居合《いあ》わせた長兄《ちょうけい》の喜一《きいち》と私は、その鏡の破片《はへん》をそれぞれ貰《もら》った。

やがて出征《しゅっせい》した長兄は、ビルマで戦死《せんし》した。私は、兄の胸《むね》のポケットに入《はい》っていたであろう一枚《いちまい》の鏡を、思い出さずにはいられなかった。兄は戦場《せんじょう》のひと時、自分の髭《ひげ》面《づら》をその鏡の破片に映《うつ》し、故国《ここく》の母に想《おも》いを馳《は》せて懐《なつ》かしんだにちがいない。もう一つの破片を分かちもっていた私には、その兄の心情《しんじょう》が痛《いた》ましくもよくわかる。私は私の鏡を手にして兄を偲《しの》んだ。

昭和《しょうわ》二十七年、私が結婚《けっこん》したとき、妻《つま》は新しい鏡台を運《はこ》んできた。私の顔は、新しい鏡に映すことになったが、ある日、妻は破鏡《われかがみ》の一片《いっぺん》を手にして、不審顔《ふしんがお》で見ていた。ガラクタの廃品《はいひん》もいいところである。屑籠《くずかご》行きの運命《うんめい》を私は察知《さっち》すると、はじめて妻に、母や戦死《せんし》した兄のこと、この鏡の破片にからまる歴史《れきし》を語った。

妻は、桐《きり》の小箱《こばこ》をみつけてきて、鏡をそれにしまって、無事《ぶじ》、今日《こんにち》に至《いた》っている。

〈池田大作著『私《わたくし》はこう思《おも》う』〈毎日新聞《まいにちしんぶん》社《しゃ》〉「一枚《いちまい》の鏡《かがみ》」より要約《ようやく》〉

昭和30年、箱根にて

――「一枚《いちまい》の鏡《かがみ》」という随筆《ずいひつ》に登場《とうじょう》する鏡は、いまもお手元《てもと》にあるのでしょうか。

この「一枚の鏡」は、いまでも桐《きり》の小箱《こばこ》に入れて大切に保管《ほかん》してあります。かすり傷《きず》がいっぱいついた破片《はへん》で、最初《さいしょ》は、なぜこんなものを、と思いました。何かわけがあるとは感《かん》じましたけれども。主《しゅ》人《じん》は、戦時中《せんじちゅう》も、この鏡を大事《だいじ》に守《まも》り通《とお》しました。戦後、青葉荘《あおばそう》の一人暮《ひとりぐ》らしのときも、机《つくえ》の引き出しに入れておいて、大切にしていたといいます。

主人は、この鏡にまつわる歴史《れきし》を詳《くわ》しく随筆に書いていますが、私にしてくれた話は、あれほどつまびらかではありませんでした。でも、「この母の鏡が僕《ぼく》を見守ってくれたんだ」と、むしろさらりと主人が言いましたとき、「あ、この人の苦労《くろう》は並《なみ》のものではなかったのでは」と、その瞬間《しゅんかん》に思いました。こんな思いまで主人はしてきたのだな、と。

主人は、戸田先生《とだせんせい》に師事《しじ》してからは、実《じっ》家《か》に帰ることは、ほとんどなかったといいます。特《とく》に父思い、母思いが深《ふか》い人ですから、とてもつらかったことでしょう。

しかし、結果的《けっかてき》に大きな孝行《こうこう》になればい

「一枚の鏡」

いのだ、という若者《わかもの》らしい覚悟《かくご》があったようです。

——随筆《ずいひつ》には、その鏡《かがみ》を見て、健康《けんこう》の危《き》機《き》を知り、食事《しょくじ》に気をつかったとか、あるいはご機嫌《きげん》な自分の顔を見て、口笛《くちぶえ》を吹《ふ》いたり、朝の出勤前《しゅっきんまえ》に髪《かみ》を整《とと》え、「お母さん、おはよう」と心《こころ》でつぶやいたと、書かれてあります。

そうして、母上の無言《むごん》の心づかいを思ったと。

そうですね。それに重《かさ》ねて、戸田先生《とだせんせい》が故郷《こきょう》を出発《しゅっぱつ》されるとき、母上から持《も》たされたという「一枚《いちまい》のアッシ（はんてん）」の話も引いています。

母上の丹精込《たんせいこ》めた真心《まごころ》のアッシを、戸田先生は生涯《しょうがい》、手放《てばな》すことはありませんでした。アッシは戦火《せんか》にも焼《や》けなかったのです。恩師《おんし》は「このアッシがあるからには、おれは大丈夫《だいじょうぶ》だ」と語った、と綴《つづ》られていますね。

こんなことも主人《しゅじん》の心情《しんじょう》にはあったのかと、私もしみじみ感《かん》じ入《い》りました。

第3章
楽しきわが家

家族《かぞく》を幸《しあわ》せにするヒント

大志《たいし》を抱《いだ》く青年と、その青年に拍手《はくしゅ》を送《おく》る乙女《おとめ》。この絶妙《ぜつみょう》のカップルが築《きず》いた家庭《かてい》とは、いったいどんな家庭だったのでしょう。

この章《しょう》には、池田家《いけだけ》の家庭論《かていろん》・教育論《きょういくろん》がぎっしり詰《つ》まっています。

二十歳で結婚《けっこん》した夫人《ふじん》は、二十一歳で長男《ちょうなん》の博正《ひろまさ》さんを、二十二歳で二男《じなん》の城久《しろひさ》さんを、そして二十六歳で三男《さんなん》の尊弘《たかひろ》さんを出産《しゅっさん》。三人の男の子の母になりました。

それだけではありません。夫《おっと》が三十二歳で創価学会会長《そうかがっかいかいちょう》となったとき、二十八歳の若さで会長夫人となったのです。

池田夫妻《いけだふさい》にとって家庭は、絶《た》えず人の集《あつ》まる〝職場《しょくば》〟でもありました。

香峯子《かねこ》夫人は、妻《つま》としての決意《けつい》をこう語っています。

「私が主人《しゅじん》にしてあげられる最大《さいだい》の務《つと》めは、健康《けんこう》で思《おも》う存分働《ぞんぶんはたら》けるよう、陰《かげ》で支《ささ》えることだと思いましたし、それが、私の人生のすべてとなりました」

この言葉《ことば》から、古《ふる》きよき時代《じだい》の主婦像《しゅふぞう》を夫人に重《かさ》ね合わせようとすることもできます。しかし、ここでも、ただ夫に従《したが》うだけの妻ではありませんでした。

過密《かみつ》スケジュールで不在《ふざい》がちな夫に、子《こ》育《そだ》てを任《まか》された妻は、三人の息子《むすこ》に父親の存在《そんざい》をしっかりと植《う》えつけていました。

ある日、家庭訪問《かていほうもん》した学校の先生に「大きくなったら何になりたいの」と聞かれ、三人とも即座《そくざ》に「パパのような人になりたい」と答えています。

このとき香峯子夫人、三十二歳。池田氏《いけだし》は三十六歳でした。

「結局《けっきょく》は、『子に親の何を見せて育《そだ》てるか』ということだと思います」

夫人の真心《まごころ》から生み出された言葉や行動《こうどう》や知恵《ちえ》が、要所要所《ようしょようしょ》で、家族の絆《きずな》をしっかりと強めていることがわかります。

池田家には、四つの家訓《かくん》があります。それは、もちろん家族だけの幸せを求《もと》めるものではありませんでした。

どれも結婚当時から貫《つらぬ》かれていることばかりです。そして、いまもきっと続《つづ》けられているはずです。

――新婚時代《しんこんじだい》のお住《す》まいの様子《ようす》や暮《く》らしぶりなどはいかがでしたか。

昭和《しょうわ》二十七（１９５２）年の八月、大森《おおもり》の駅《えき》から歩いて十分ほどの山王《さんのう》にあった「秀山荘《しゅうざんそう》」というアパートに引《ひ》っ越《こ》しました。赤い屋根《やね》の二階建《にかいだ》てで、十世帯《じっせたい》ほどが住んでいました。

わが家《や》は一階で、四畳半《よじょうはん》の和室《わしつ》と六畳ほどの小さな洋間《ようま》の二間で、台所《だいどころ》も半畳くらいの小さなものでした。

洗濯場《せんたくば》とトイレは共同《きょうどう》です。洗濯機《せんたくき》などありませんし、お風呂《ふろ》は、もちろん、ついていませんでした。

越してからすぐ、勤行《ごんぎょう》を大きな声でしていましたら、「こんなところから、お経《きょう》が聞こえてきたら、人が住まなくなる」と大《おお》家《や》さんに注意《ちゅうい》されました。（笑）

板の間《いたのま》には、本棚《ほんだな》をおいていました。主《しゅ》人《じん》がときどき古本を買ってきます。その古本についていた南京虫《なんきんむし》が、寝《ね》ている間に出てきたことがあります。（笑）

何かかゆいというので、白木《しらき》の母に聞いて、古本をはじめ、部屋中《へやじゅう》、消毒《しょうどく》したことがありました。（笑）

昭和《しょうわ》二十八（１９５３）年の一月、この「秀山荘」で初《はじ》めて迎《むか》えた新春でしたでし

昭和45年５月、新宿・信濃町にて。母・静子さん（右端）と
池田氏の母・いちさん

ょうか。青年部《せいねんぶ》の同志《どうし》たちが、この部屋《へや》にいらしたことがあります。

小さな部屋が、七人もの青年でいっぱいになりました。狭《せま》い流《なが》しで、すき焼《や》きの用意《ようい》をして、精一杯《せいいっぱい》のおもてなしをいたしました。

主人《しゅじん》が、そのとき、本棚《ほんだな》にあった土井晩翠《どいばんすい》の詩集《ししゅう》を取《と》り出して、「星落秋風五丈原《ほしおつしゅうふうごじょうげん》」を皆《みな》さんに朗読《ろうどく》して聴《き》かせたのです。「三国志《さんごくし》」の英雄《えいゆう》である諸葛孔明《しょかつこうめい》の晩年《ばんねん》の心情《しんじょう》を謳《うた》った詩ですね。

すると、その詩につけられた曲《きょく》を知っている青年がいて、「詩も曲もすばらしい」ということになりました。

主人は「ぜひ、戸田先生《とだせんせい》にお聴かせしたい」と言いまして、その翌日《よくじつ》、皆で歌ったのです。

戸田先生は涙《なみだ》を流《なが》されながら、何度《なんど》も「もう一回！」「もう一回！」と聴いてくださいました。

その後、学会の愛唱歌《あいしょうか》として幅《はば》広く歌われるようになりました。

いまになって振《ふ》り返《かえ》りますと、小さなわが家《や》が、この「五丈原の歌」の発祥《はっしょう》の場所《ばしょ》になったわけですから、感慨深《かんがいぶか》いものがあります。

大森・山王の「秀山荘」。３年近く暮らした１階左側の部屋

――ご長男《ちょうなん》が誕生《たんじょう》されて、若《わか》いお父さん、お母さんとなりましたが、当時のことで印象《いんしょう》に残《のこ》っていることを教えてください。

昭和《しょうわ》二十八（１９５３）年の四月二十八日、長男の博正《ひろまさ》が誕生しました。

結婚《けっこん》の一年後でした。主人《しゅじん》が二十四歳で、私が二十歳の結婚ですから、二十一歳で母親になったわけです。

やはり少し早すぎたかしら。（笑）

ただ、すでに主人は、戸田先生《とだせんせい》の会社でも、営業部長《えいぎょうぶちょう》という重責《じゅうせき》をいただいておりました。ともかく体が弱かったので、戸田先生から、「早く身《み》を固《かた》めて、健康管理《けんこうかんり》をしてもらったほうが、仕事《しごと》にも専念《せんねん》できる」とのご指導《しどう》があったんです。

長男が生まれたとき、主人は、立宗満七《りっしゅうまんなな》百年《ひゃくねん》を慶祝《けいしゅく》する行事《ぎょうじ》で、静岡《しずおか》の富士宮《ふじのみや》におりまして、「戸田先生を囲《かこ》む会」を行《おこな》っておりました。男子青年部《せいねんぶ》の方々《かたがた》が八百人ほど集《あつ》まり、盛大《せいだい》な会になったようです。

その記念《きねん》の四月二十八日に、長男がたまたま生まれました。翌日《よくじつ》に帰ってきた主人は、それは喜《よろこ》んでおりました。

誕生の報告《ほうこく》は、すでに戸田先生のお耳に

昭和29年

入っていて、その会の直後に、お歌を贈《おく》ってくださいました。

扇子《せんす》に、「子生《こう》まれて 嬉《うれ》し 春の月」と毛筆《もうひつ》でしたためてありました。「戸田先生《とだせんせい》が そのとき持《も》っておられた扇子だ」と、主人《しゅじん》が申《もう》しておりました。

博正《ひろまさ》は生後《せいご》一、二年で、いつの間にか、蓄音機《ちくおんき》を回してレコードをかけることを覚《おぼ》えてしまいました。レコードに傷《きず》がつくといけないと思って、私は机《つくえ》の下に隠《かく》しました。

ところが、子どもの目の高さからは、そこが丸見《まるみ》えだったのですね。(笑)スルスルッと机の下に入っていったのには、自分でも笑《わら》ってしまいました。

よく「子どもの目線《めせん》で!」と言われますが、確《たし》かにそのとおりだと思いました。

大森駅《おおもりえき》の近くにあるお店で、主人が「ブラウスを買ってあげる」と言ってくれたことがあります。初《はじ》めてのことでした。(笑)「これと、これと、これと、これと……」と、一気に何枚《なんまい》も買ってくれようとするんです。(笑)

私は、もう少し吟味《ぎんみ》したいし、お財布《さいふ》の中身《なかみ》もわかっていますから、(笑)「一枚でいい」と申しました。

昭和30年から41年まで住んだ大田・小林町の自宅

すると、「ちっともうれしそうにしないね」と言うのです。（笑）
家計《かけい》のやり繰《く》りが大変《たいへん》だったといえば、あのころがやっぱりいちばんそうでした。
やり繰りの基本《きほん》は、まず物《もの》を粗末《そまつ》にしないことです。お米一粒《ひとつぶ》も無駄《むだ》にはしませんでした。食事《しょくじ》の残《のこ》りも捨《す》てずに、うまく工夫《くふう》して献立《こんだて》を考えました。
包装紙《ほうそうし》なども、きちんと畳《たた》んで再利用《さいりよう》しましたし、ひもも何回も使《つか》いました。戦時《せんじ》中《ちゅう》の苦《くる》しい体験《たいけん》があるものですから、そうした節約《せつやく》を心がけました。

昭和《しょうわ》二十九（１９５４）年三月三十日に、主人《しゅじん》は新設《しんせつ》の青年室長に就任《しゅうにん》し、各地《かくち》を駆《か》けめぐる日々でした。
二男《じなん》の城久《しろひさ》は、長男《ちょうなん》とは二つ違《ちが》いの誕生《たんじょう》でした。昭和三十（１９５５）年の一月二十八日生まれです。
長男は生まれたときから大きな赤ちゃんでしたが、二男は小さく生まれて、自分で大きくなったという感《かん》じです。（笑）
城久が生まれても、なにせ狭《せま》いので寝《ね》かせる場所《ばしょ》もなく、ベビーダンスの上に寝かせたこともありました。（笑）博正《ひろまさ》も、あちこち動《うご》き回るようになっていましたので、そのほうが安全《あんぜん》だったのですね。

昭和33年８月、大田・小林町の自宅の庭にて

秀山荘《しゅうざんそう》では、三年近く過ごしました。二《に》階《かい》に住《す》んでいらした、赤ちゃんのいる方《かた》とも、洗濯場《せんたくば》でおしめを洗《あら》っているときに知り合いました。

数年前、その方からお手紙をいただき、とても懐《なつ》かしく、心うれしく拝見《はいけん》しました。

私は忘《わす》れていたんですが、引《ひ》っ越《こ》すときに、おもちゃを差《さ》し上《あ》げたことまで覚《おぼ》えていてくださり、驚《おどろ》きましたね。商社《しょうしゃ》マンだったご主人《しゅじん》は亡《な》くなられたと伺《うかが》い、主人と追善《ついぜん》させていただきました。

一つ一つの出会いを大切にと思っております。

当時は、母が子守役《こもりやく》で、しかし、母も会合に出ますから、長男《ちょうなん》は大森《おおもり》と矢口渡《やぐちのわたし》の実《じっ》家《か》の間でキャッチボールの球《たま》みたいに、行ったり来たりしていました。

母も私も、長男を一緒《いっしょ》に連《つ》れてよく歩きました。よちよち歩きで一生懸命《いっしょうけんめい》についてきましたね。そういう習慣《しゅうかん》でしたので、実際《さい》、長男は表《おもて》に出るのが好《す》きになりました。けがや病気《びょうき》などはあまりしないほうでした。

秀山荘は、子どもが二人になると出なければいけないという決《き》まりがあったので、二男《じなん》の出産後《しゅっさんご》、実家近くの小林町《こばやしちょう》の一軒家《いっけんや》に移《うつ》ることになりました（昭和《しょうわ》三十年六月）。

この住《す》まいも、最初《さいしょ》は六畳《ろくじょう》二間と四畳半でしたが、手狭《てぜま》になりましたので、のちに、もう一つ六畳を建《た》て増《ま》ししました。

小林町時代《じだい》のことは、主人の『若《わか》き日《ひ》の日記《にっき》』にも登場《とうじょう》します。その中で「妻《つま》、駅《えき》まで出迎《でむか》えてくれる」という記述《きじゅつ》がしばしば出てきます。

主人が帰宅《きたく》するときには、電話をもらうようにして、時間を合わせて蒲田駅《かまたえき》まで迎えに行きました。

主人は朝、駅まで自転車《じてんしゃ》で行きますので、帰りはその自転車を主人が押《お》したり私が押したりしながら、二人で歩いて帰りました。十五分くらいの距離《きょり》でした。

主人の疲《つか》れ方が、どうしても気になっていたのです。

実際《じっさい》、それくらい体調《たいちょう》は悪《わる》かったのです。冬でも寝汗《ねあせ》をかいていましたし、朝はボーッとしたような赤い顔をしていました。やはり微熱《びねつ》のせいで、これだけは情熱《じょうねつ》のためではなかったと思います。（笑）

大阪《おおさか》などから夜行《やこう》で戻《もど》ってきて、朝、東《とう》京駅《きょうえき》に着《つ》き、そのまま学会本部《がっかいほんぶ》へ、ということもよくありました。やはり心配《しんぱい》でしたから、子どもも小さかったのですが、一緒に連《つ》れて、主人の着替《きが》えを持《も》って迎《むか》えに行きました。

私は、主人《しゅじん》の健康《けんこう》を守《まも》るために生まれてきたようなものですから、あのころにくらべますと、いまこんなに元気な主人は、信《しん》じられないくらいなんです。私には、主人が健康でいてくれることが、何よりの幸《しあわ》せです。

当時、青年室長だった先生のお宅《たく》に伺《うかが》ったのですが、まあ、先生は質素《しっそ》だなあ、と思いました。青年部《せいねんぶ》の指揮《しき》をとっておられるときの先生は、いつも悠然《ゆうぜん》と余裕《よゆう》のあるご様子《ようす》でしたからね。それが、ご家庭《かてい》では質素で……というのが第一印象《だいいちいんしょう》でした。それで奥様《おくさま》にお目にかかりますと、優《やさ》しいし魅力的《みりょくてき》だし、ほんとに素晴《すば》らしい奥様だなーと。

それから何度《なんど》か伺わせていただいて、ある日、奥様が和服《わふく》を着《き》ておられたのです。「和服なんか着て、いいと思うだろう。でも、いくらだと思う」って、先生がおっしゃるのです。「化繊《かせん》なんだよ」と言われて、「こういうのが上手《じょうず》なんだよ、この人は。やり繰《く》りするのが上手なの」って。（笑）奥様もニッコリ笑《わら》っていらして。

伺うとすぐ、「何か出してあげなさい。

昭和36年３月、城久さん、尊弘さんと東京・向島百花園にて

昭和35年５月、大田・小林町の自宅にて。
池田氏が第三代会長に就任したころ

おなかがすいてるから」って言われるんです。しかし何もないころなんですね。ちょっと青いトマトを出していただいたんです。

先生は「いつも言ってるじゃないか。青《せい》年部《ねんぶ》の人たちが来るんだから」と奥様《おくさま》を叱《しか》られたんですけど、奥様が奥に行かれたときに、私に「ないんだよ、なんにも。あるなら出すんだよ、全部《ぜんぶ》」とおっしゃられて。本当に胸《むね》の詰《つ》まる思いがしました。

（SGI総合女性部長《そうごうじょせいぶちょう》・秋山栄子《あきやまえいこ》さんの話）

——三人の息子《むすこ》さんをテーマに、「三《さん》巨頭会談《きょとうかいだん》」という随筆《ずいひつ》も書かれたことがありましたね。（笑）

三男《さんなん》の尊弘《たかひろ》が生まれたのは、昭和《しょうわ》三十三（1958）年四月十一日です。育《そだ》ち盛《ざか》りの男の子が三人になりました。

上の巨頭は、学者《がくしゃ》タイプで長老型《ちょうろうがた》の「おにいちゃん」でした。中の巨頭は学級第一《がっきゅうだいいち》の肥満型《ひまんがた》で、あだ名が相撲《すもう》の「大鵬《たいほう》」、下の巨頭はすばしっこいんですけれど、ちょっと甘《あま》えん坊《ぼう》で、あだ名が「豆《まめ》タンク」でした。家の中は、一年中、ドタン、バタン

でした。（笑）

夜には、仲《なか》よく三人一緒《いっしょ》にお風呂《ふろ》に入り、主人《しゅじん》の随筆に「海国男子《かいこくだんし》の面目《めんぼく》にかけて」とあるとおり、そこでまた騒《さわ》ぎますので、風呂桶《ふろおけ》は二度《にど》も底《そこ》が抜《ぬ》けてしまいました。（笑）

尊弘さんが幼《おさな》いころ、奥様が会合にお出かけになるとき、泣《な》きだしたことがありました。

あまりあとを追《お》うことはないのですが、そのときは何か違《ちが》っていました。それで、二日ほどたったあとに、尊《たか》ちゃんにお話をされまして、諭《さと》すように、「こうするのとああするのとでは、どちらがいいの」と、私に聞こえたのは断片的《だんぺんてき》ですが、幼くとも一人の人格《じんかく》に対《たい》するような話しかけは、いつもの場合と同じでした。

（近隣《きんりん》の会館《かいかん》の管理者《かんりしゃ》の話）

◆

奥様は、雰囲気《ふんいき》をパッと変《か》えられるのがお上手《じょうず》です。

たとえば、先生が帰宅《きたく》なさる前、子どもさんたちと食事《しょくじ》して、そのあと、母子そろって勤行《ごんぎょう》をされますが、その間の母子の雰囲気が実《じつ》にいいのです。

いろいろと子どもたちの話を聞き、上手《じょうず》に相《あい》づちを打《う》たれたり、ほめられたり、とてもなごやかな対話《たいわ》の時間が過《す》ぎていくんです。

そして、先生がお帰りになると、こんどはまた、パッと雰囲気《ふんいき》を変《か》えられます。そのときは、もう神経《しんけい》が全部《ぜんぶ》、先生のほうに集中《しゅうちゅう》してるといった感《かん》じです。そこで先生とお子さまたちのことで話されると、パッとまた母親の雰囲気に戻《もど》られる。

私自身《じしん》、家庭《かてい》を持《も》って子どもを持ってみますと、本当に、いい勉強《べんきょう》になったなあ、といつも思い返《かえ》されました。それが私にできるかは、いまもって宿題《しゅくだい》ですけれど、努《ど》力《りょく》する楽しみは、奥様《おくさま》から、たくさん学ばせていただきました。

（お手伝《てつだ》いさんの話）

小さいころから、子どもたちは「パパが帰ってきたら、もうママに甘《あま》えてはいけない」と思っていたようです。

主人《しゅじん》の過密《かみつ》スケジュールは、全部、承知《しょうち》しておりますので、それに合わせてくつろげるように心配《こころくば》りをしてきました。

主人は、お化粧《けしょう》や服装《ふくそう》に意外《いがい》とうるさいんですよ。（笑）髪形《かみがた》など変えると「ちっ

昭和39年３月（撮影・池田大作）

昭和39年11月、大田・小林町の自宅にて

とも似合《にあ》わないよ」などと言われました。（笑）いまの髪形《かみがた》は戸田先生《とだせんせい》からもほめていただきましたので、ずっと変《か》えていません。洋服《ようふく》も「なんだ、それは」と言われたら、その服は、主人《しゅじん》の留守《るす》のときにしか着《き》ないようにしてきました。（笑）

私の子どものころと同じように、わが家《や》のいちばん大事《だいじ》なことは朝夕《あさゆう》の勤行《ごんぎょう》です。主人がいるときは全員《ぜんいん》で、いないときは私が中心《ちゅうしん》で勤行をしました。

主人の勤行の姿《すがた》を見ていると、勤行の大切さがわかり、身《み》につくんです。

しかし、その点で厳《きび》しすぎても、子どもはかえっていやになってしまうでしょう。主人は「そこは、やはり母親の信心《しんじん》だろうね」と言います。

朝の七時には必《かなら》ず集《あつ》まってやりました。一人来なければ、ピッとベルを鳴らして「勤行ですよ」と声をかけました。いつもはそれでみんなそろうのですが、朝寝坊《あさねぼう》して、ときには家族《かぞく》の勤行に間《ま》に合わず出かけなければならない場合があります。それを学校の出がけに注意《ちゅうい》しては、むしろ逆効《ぎゃくこう》果《か》ではないでしょうか。やはり朝一番は、笑顔《えがお》で気持《きも》ちよく送《おく》り出したほうが子どものためだろうと思います。

戸田先生《とだせんせい》が、朝晩《あさばん》の送り迎《むか》えを「にっこ

り笑《わら》って」とおっしゃいましたが、あの話は、主人に対《たい》してだけではなく、子どもに対しても通じると思います。

特《とく》に男の子は気むずかしいし、（笑）誇《ほこ》りも高いようですから。あのとき、戸田先生は、「どんな不愉快《ふゆかい》なことがあっても、笑顔で」とつけ加《くわ》えられました。

そこで、何かの理由《りゆう》で朝の勤行ができなかった場合は、こう言いました。

「お母さんが、あなたの分もちゃんとやっておきますから」と。幸《さいわ》いなことに、これが成功《せいこう》しました。（笑）

三男《さんなん》の尊弘《たかひろ》が高校生のときに、小笠原《おがさわら》に星の観察《かんさつ》に行きたいと言いだしたことがあります。

学会の未来部《みらいぶ》の会合と重《かさ》なっていたので、そちらに出るべきではと私は言いましたが、学校の友人たちとの前々《まえまえ》からの約束《やくそく》だから、どうしても断《ことわ》れない、と言います。

主人に相談《そうだん》したら、「信仰《しんこう》は一生涯《いっしょうがい》のものだし、長い目で見れば、今回は小笠原に行かせてもいいのではないか。大事《だいじ》なのは、信心し抜《ぬ》くことなのだから」と言われ、私もなにかホッとしたことがあります。

奥様《おくさま》がよくおっしゃったことは、「子どもに対《たい》しては、まず母親は真剣《しんけん》に祈《いの》ることです。会合は教育《きょういく》の場です。子どもはどんどん連《つ》れていらっしゃい」ということでした。

御書講義《ごしょこうぎ》をされている奥様の隣《となり》で、静《しず》かにしていたご長男《ちょうなん》の姿《すがた》が忘《わす》れられません。奥様は必《かなら》ず御本尊《ごほんぞん》の前で「今日《きょう》は大事《だいじ》な会合です」と教えられていました。

私が「そんな小さな子どもに話してわかりますか」と聞くと、「いのちといのちですから、必《かなら》ずわかります」と言われました。

あるとき、ご長男が「パパに買ってもらったんだ」とうれしそうに、おもちゃの刀を振《ふ》り回《まわ》して遊《あそ》んでいました。そのちょっとしたはずみで奥様の手に当たり、指《ゆび》から血《ち》が出ました。

「僕《ぼく》、おやめなさい。ママ、血が出てしまったわ。そういうことをするために買ってもらったのではないのよ」と諭《さと》すように言われました。

勤行《ごんぎょう》も「無理《むり》に座《すわ》らせてはいけません」と言われ、強制《きょうせい》はせず自然体《しぜんたい》で伸《の》び伸《の》びと育《そだ》てていくことを教えていただきました。

（小林町時代《こばやしちょうじだい》、香峯子夫人《かねこふじん》と一緒《いっしょ》に活動《かつどう》されたご婦人《ふじん》の話）

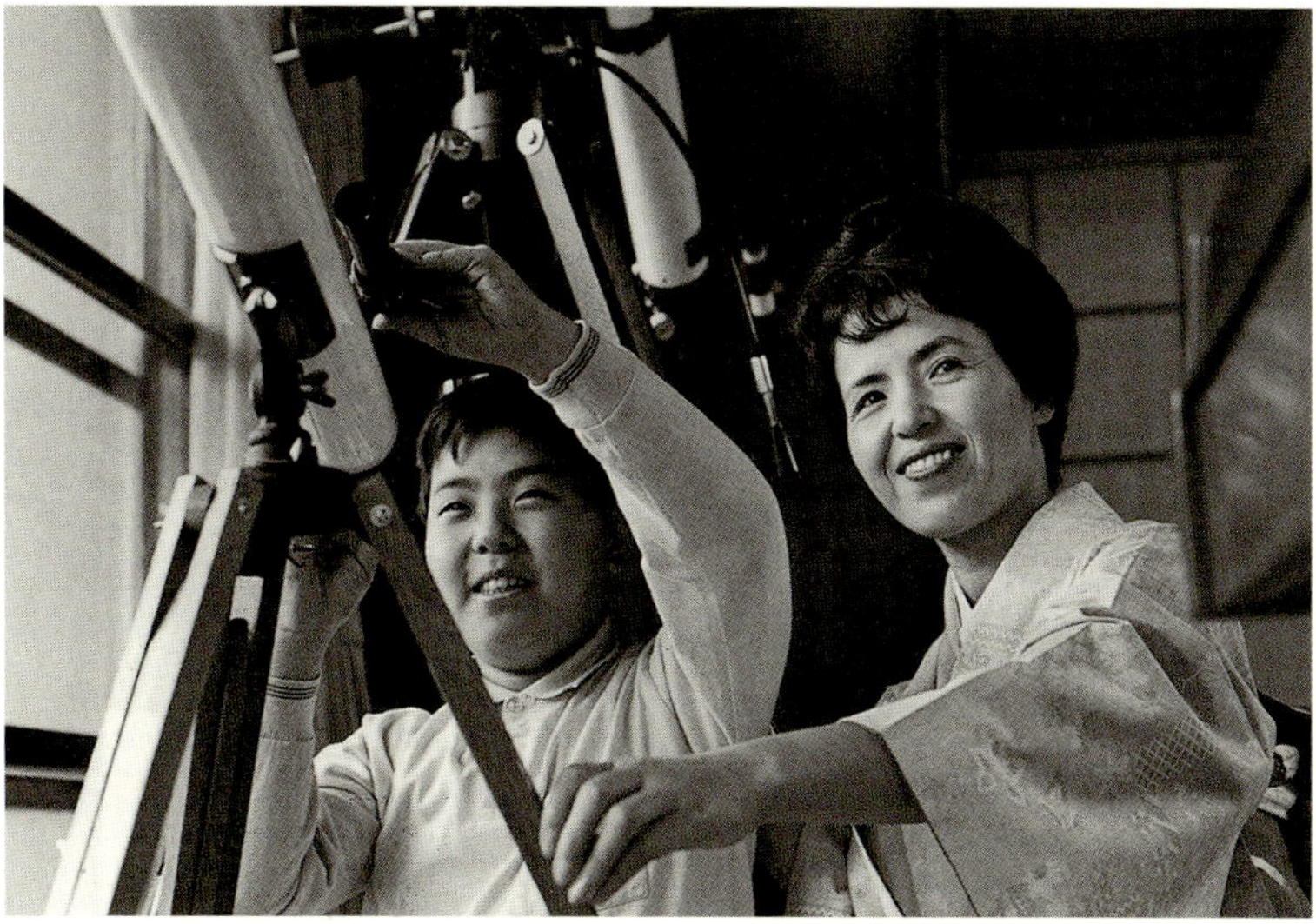
昭和44年秋、天体観測に夢中なころの尊弘さん

兄弟《きょうだい》ゲンカなどの場合は、「お兄さんは弟を大事《だいじ》にしなさい」、そして「弟はお兄さんを尊敬《そんけい》しなさい」ということで、すませてきました。

「三つ子の魂《たましい》、百まで」といいます。それは、よい意味《いみ》でも悪《わる》い意味でも、いえることでしょう。

仏法《ぶっぽう》では「自分のため」だけではなく「人のために」という心の転換《てんかん》を教えます。私たちが「人間革命《にんげんかくめい》」と申《もう》しますのも、その一つの形であり、働《はたら》きだと思います。そして、子どもの時期《じき》には、その方向《ほうこう》へ早くから促《うなが》し、励《はげ》ましていくのに絶好《ぜっこう》の機会《きかい》が、いろいろありますね。

母親に限《かぎ》らず、父親も、その機会を生かしていくのが、いちばんいいだろうと思います。でも、ふだん子どもといちばん接《せっ》しているのは母親ですから、兄弟の間で何かとり合いなどが始《はじ》まっても、上手《じょうず》に諭《さと》していけば、子どもは、だんだんわかっていくのではないでしょうか。

それには、母親自身《じしん》が成長《せいちょう》しなければならないと思ってきました。そうでなければ、本当の意味で子どもも成長できませんから。

昭和41年５月、博正さん（中学１年生）、城久さん（小学６年生）、尊弘さん（小学２年生）

お子さんたちは、小さいときでも、物《もの》をむやみに壊《こわ》したり、障子《しょうじ》を破《やぶ》るとか、そういう荒《あ》れた乱暴《らんぼう》はまったくなかったですね。

ある日、おもちゃを持《も》って遊《あそ》んでいた城《しろ》久《ひさ》さんに、弟の尊弘《たかひろ》さんが「それ、貸《か》してもらいたいんだけどね」と言うのです。普《ふ》通《つう》だったらとり合いになると思うんですが、尊弘さんは涙《なみだ》をいっぱいためながら「貸してもらいたい」ってきちんと自分の意思《いし》を伝《つた》えようとしていました。とても印《いん》象的《しょうてき》な光景《こうけい》でした。（故《こ》・白木文《しらきふみ》さんの話）

――「家訓《かくん》」は何かありますか。

「家訓」ということではありませんが、
一、人のために、社会のために生きる。
一、すべての人に誠実《せいじつ》に。
一、信念《しんねん》は、一生涯《いっしょうがい》、貫《つらぬ》き通《とお》す。
一、勝《か》つことよりも負《ま》けないこと。それが、すべてに勝っていくことになる。
このことは、常々《つねづね》言ってきました。

「子は親の背《せ》を見て育《そだ》つ」と、よく言われます。

結局《けっきょく》は「子に親の何を見せて育てるか」

ということだと思います。

特《とく》に父親の役割《やくわり》の中で大事《だいじ》なのは、子どもに対《たい》しては幻滅《げんめつ》ではなくて、常に夢《ゆめ》を与《あた》えるといいますか、希望《きぼう》を持《も》たせていくことだろうと思いますね。この役柄《やくがら》は、言うはやすく、実《じつ》に大変《たいへん》なことだなと思いますが。（笑）

確《たし》かに忙《いそが》しい主人《しゅじん》でしたが、主人は子どもがかわいくてしかたがないんです。子どもの話をすると、厳《きび》しい顔《かお》も、とたんにニコニコ顔に変《か》わり、いちばん楽しそうにしていました。疲《つか》れ切って帰ったときは、私の話に返事《へんじ》もしないほどで、突然《とつぜん》、子どものことを聞いたりします。

「あら、私の話を聞いてくれなかったのかしら」と思うこともありますが、（笑）その場合は、そのままそっとしておきます。

会長に就任《しゅうにん》してからも、時間があるときには、子どもたちと相撲《すもう》をとったり、金魚《きんぎょ》をすくったり……。

ただ、子どもの教育《きょういく》は、ほとんど私任《まか》せでした。大事なことは相談《そうだん》に乗《の》ってくれましたが、私もなるべく主人を煩《わずら》わせないようにしてきました。

主人は「子どもの教育は母親に任せたほうがいい。子どもは母親からどんなに叱《しか》られてもひねくれないが、父親がうるさく言うと、必《かなら》ず成長《せいちょう》を曲《ま》げてしまう」と言っておりました。これは、戸田先生《とだせんせい》からの教えです。

父親としては、子どもには、絶対《ぜったい》に怒《おこ》りませんでしたね。(笑)

あくまで自由《じゆう》にさせていました。健康《けんこう》で、まっすぐ若竹《わかたけ》のように、社会に貢献《こうけん》できる人に成長させたいと。

単《たん》に出世《しゅっせ》すればよい、というのではいけない。何か人のため、社会のために役立《やくだ》つ人間になってほしい――こういう考えのようでした。

海外や地方へ出かけて、一年に数カ月ほどしか家に帰れないこともあります。

あるとき、珍《めずら》しく旅先《たびさき》の主人《しゅじん》から電話がかかってきたことがあります。すると子どもたちが、かわりばんこに電話口《でんわぐち》に出て、お土産《みやげ》に何を買ってきて、とか何とか、おしゃべりをしていました。父親の留守《るす》に慣《な》れっこだとはいっても、やっぱり、さびしかったんでしょう。

海外からは、切手をたくさん貼《は》って、三《さん》兄弟《きょうだい》それぞれに、手紙や絵はがきを送《おく》ってきてくれました。

子どもたちが、どういう父親として受《う》けとっているのか、それはずいぶん心配《しんぱい》しました。

池田氏が海外から子どもたちに送った手紙や絵はがき

ところが、ある日訪《たず》ねてくださった学校の先生に「大きくなったら何になりたいの」と聞かれて、三人とも即座《そくざ》に「パパのような人になりたい」と答えたので、思わず涙《なみだ》ぐみそうになりました。

息子《むすこ》たちが成人《せいじん》してから言ってきたことは、「誠実《せいじつ》に」ということでしょうか。なんといっても、深《ふか》く生きてもらいたい、浅《せん》薄《ぱく》なことに動《どう》じずに、深い人生を生きてほしいと願《ねが》いました。

真面目《まじめ》な道へ心《こころ》を決《き》めて、深い人に育《そだ》ってほしいという思いでいましたが、そういうふうになってくれて感謝《かんしゃ》しています。

いつも感心《かんしん》し、忘《わす》れられないのは、奥様《おくさま》が毎朝、三男《さんなん》の尊弘《たかひろ》さんと一緒《いっしょ》にご自宅《じたく》の表《おもて》に出てこられたことです。たしか小学校二年生のころだったと思います。ランドセルを背負《せお》った小さな尊弘さんが、坂道《さかみち》を下りて角を曲《ま》がるまで、お互《たが》いに手を振《ふ》って、奥様が見送《みおく》られるのです。

ここまで毎日はとてもできないと思いました。その何気《なにげ》ない姿《すがた》が目に焼《や》きついています。

子育《こそだ》てには、特《とく》にああいう日常《にちじょう》のことが大事《だいじ》なんだなあ、と思いました。

（昭和《しょうわ》四十一年に小林町《こばやしちょう》から信濃町《しなのまち》の現在《げんざい》のお宅《たく》に越《こ》された当時を知る近隣《きんりん》の方《かた》の話）

私の場合は何事《なにごと》も、「必要《ひつよう》に応《おう》じて」です。これはやったほうがいいなと感《かん》じますと、自然《しぜん》にそうなります。ただそれだけのことなんです。（笑）むずかしく考えることではないように思います。

わが身《み》に当てはめて考えれば、よくわかることが多いですね。

自分があのときにそうされていたらなあ、という思いはあるはずですし、また事《じ》実《じつ》、そうされた体験《たいけん》のある方は、やっぱりそれを実行《じっこう》されるでしょう。

逆《ぎゃく》に、自分が傷《きず》つけられていやな思いをしたことを、また自分が人にすることは、それはどうかしら、と思います。それでは、進歩《しんぽ》も改善《かいぜん》もないわけですから。

＊＊＊

随筆《ずいひつ》「私《わたくし》の家庭《かてい》」には、次のようなエピソードが紹介されています。

ある夕《ゆう》、久《ひさ》しぶりに、ご主人《しゅじん》が早く帰宅《きたく》されたときのことです。

すると、何やら居間《いま》の気配《けはい》がいつもとは違《ちが》

っていました。そこに、やがて呼《よ》ばれて入ると、壁一面《かべいちめん》に敷布《しきふ》が掛《か》けられていました。三人の子どもが考えつき、父の慰労《いろう》と歓待《かんたい》のために催《もよお》す8ミリ映写会《えいしゃかい》だったのです。

その映写幕替《えいしゃまくが》わりに敷布を吊《つ》ったひもの端《はし》に、小さなリボンが結《むす》んでありました。

何か買物《かいもの》の包装《ほうそう》に使《つか》われたリボンらしいが、にわかづくりをいかにもはじらうような、ほのぼのとした温《あたた》かさが感《かん》じられて可《か》愛《わい》らしい。

電気が消《け》されて、スクリーンに子どもたちの傑作《けっさく》が、つぎつぎと映《うつ》しだされていった。そんななかでも、そのリボンの印象《いんしょう》は、私の脳裏《のうり》からなかなか消《き》えなかった。あとで聞いたところ、子どもたちの発案《はつあん》による映写会だったが、リボンだけは、妻《つま》の発案であったという。

この話はこう結《むす》ばれます。

たとえ家中が揃《そろ》う、一家団欒《いっかだんらん》の時間が少なかろうと、思い出をつくりだしていける家庭《かてい》こそ、子どもたちにとっても、何よりの財産《ざいさん》であるといえまいか。

そのわずかな時間を、数倍《すうばい》の価値《かち》あらしめるものにすることはできると思う。

昭和42年４月、新宿・信濃町の自宅玄関前にて。
博正さん（中学２年生）、城久さん（中学１年生）、
尊弘さん（小学３年生）

家庭《かてい》に、価値創造《かちそうぞう》がなければ、楽しさはないと思う。それは物《もの》の豊《ゆた》かさとは、まったく質《しつ》のちがった、心の豊かさともいうべきものであろう。

（池田大作著『私《わたくし》の提言《ていげん》』〈産経新聞社《さんけいしんぶんしゃ》〉「私の家庭《かてい》」より）

主人《しゅじん》とも話すのですが、確《たし》かに物質《ぶっしつ》のほうは潤沢《じゅんたく》すぎる時代《じだい》になりました。

つい、ぜいたくをしますと、ご主人の給《きゅう》料《りょう》では追《お》いつかなくなり、しかたがないのでカードで借金《しゃっきん》をする。物が豊かになったためにかえって見《み》えを張《は》り、浪費《ろうひ》を重《かさ》ねなければならないような、そのために夫婦《ふうふ》の間で雲行《くもゆ》きがおかしく、ときには暗《くら》くて憂《ゆう》うつになる、そんな話を耳にする時代です。長引く不況《ふきょう》の影響《えいきょう》で、家計は楽《らく》ではありません。

あるいは家計が潤《うるお》っていたとしても、人のことを考える余裕《よゆう》がなければ、心《こころ》は貧《まず》しいと言わざるをえません。いちばん心配《しんぱい》なことは、余裕《よゆう》のない大人《おとな》の心が子どもたちにどう反映《はんえい》するか、でしょうね。

親も競争《きょうそう》している、子も競争している、そして社会の中で、この競争が、物とお金の獲得《かくとく》に傾《かたむ》いたままいけば、子どもの未来《みらい》

昭和42年10月、東京・外苑のいちょう並木にて

はどうなるのでしょう。

そのことを、私たち大人《おとな》は真剣《しんけん》に考えなければいけないと思います。


庭《にわ》によく、くちなしの花がいっぱい咲《さ》きます。なぜか、それにものすごく虫がつきます。

私はいつもパッと戸を開《あ》けて、あっ、虫がいた、というだけで、閉《し》めちゃうのですけど。

ある日、奥様《おくさま》がそれをご自分でバケツにいっぱい切ってこられて、花弁《かべん》も花茎《かけい》も枝《えだ》葉《は》もきれいに洗《あら》って、家の中のあちらこちらを、くちなしの花で飾《かざ》られました。とてもいい香《かお》りがしました。そういうふうに、ちょっとしたもので模様替《もようが》えをされます。

一枚《いちまい》の絵や一つの置物《おきもの》も、こちらのものをあちらへかえたり、花を飾られたり、工《く》夫《ふう》されるので、先生が帰られたときには、家の中の感《かん》じが全然違《ぜんぜんちが》ったようになっているわけです。

先生がドアを開けられると、奥様が座《すわ》っておられて、ほんとにこうキチンと。その奥様のお顔がなんとも言えない笑顔《えがお》で、自《し》然《ぜん》な振《ふ》る舞《ま》いですけれども。

その笑顔も服装《ふくそう》も、もう先生にホッとして、安心《あんしん》して、喜《よろこ》んでいただいてという心から先生をお迎《むか》えしているんです。ときどき和服《わふく》に着替《きが》えたり、夏は浴衣《ゆかた》を召《め》されて。その和服がすごくお似合《にあ》いです。それをすぐ先生は「いいねえ」とおっしゃるんです。（義妹《ぎまい》の白木美代子《しらきみよこ》さんの話）

毎日、朝起《お》きると、主人《しゅじん》の体調《たいちょう》を案《あん》じて、顔色を見るという生活《せいかつ》でした。

外では神経《しんけい》を張《は》り詰《つ》めておりましたので、せめて家に帰ってきたときくらいは、ともかく身《み》も心《こころ》も休《やす》めてもらいたかったわけです。ですから、少しでもホッとしてもらえるようにと、花を飾ってみたり、ときには和服を着《き》てみたり、私なりにできる限《かぎ》りの工夫を心がけていました。

私は、息子《むすこ》たちに特別扱《とくべつあつか》いは絶対《ぜったい》にさせませんでした。

私たちは庶民《しょみん》の一人です。息子も庶民の一人でよいのです。

おこづかいも世間並《せけんな》みです。おこづかいで欲《ほ》しいものが買えないときは、アルバイトをしていました。アルバイトは子どもには、いい経験《けいけん》になりましたね。

主人はあまり家にはいませんでしたから、実際《じっさい》にはほとんど、子どもたちが勉強《べんきょう》しているところを見てはいません。そのかわり、本や万年筆《まんねんひつ》などを、誕生日《たんじょうび》の贈《おく》り物《もの》にしておりました。なるべく、学習《がくしゅう》に関係《かんけい》のあるものを選《えら》んでいたようです。

でも、主人《しゅじん》は忙《いそが》しいので、自分ではお土産《みやげ》を求《もと》めてはこられません。それで私が前もって買っておいて、押入《おしい》れなどに隠《かく》しておき、主人が帰ってきたときに、「ハイ、お土産よ」と言って渡《わた》せるように用意《ようい》していました。

主人は子どもには甘《あま》くて、なんでもすぐ約束《やくそく》しちゃいます。（笑）それを私に言いつけますので、用意して時を見計《みはか》らって、それぞれの机《つくえ》の上においておきました。父親の点数を上げて、（笑）気持《きも》ちが子どもたちとつながるような工夫《くふう》は、よくいたしました。

——お子さまたちの教育《きょういく》や受験《じゅけん》については、ご夫妻《ふさい》とも熱心《ねっしん》なほうでしたか？

教育ママでは、ありませんでした。（笑）子どもに勉強《べんきょう》勉強と言ったこともありません。本人のやりたいことをやらせ、自分で自分の道を開《ひら》いてほしいと思って育《そだ》ててき

昭和47年11月、新宿・信濃町の自宅にて

ましたから。
勉強《べんきょう》は、長男《ちょうなん》の博正《ひろまさ》は、言われなくてもするほうでした。
二男《じなん》の城久《しろひさ》は、あまりやらなくてもできちゃう、という感《かん》じでしたね。
尊弘《たかひろ》は、学校の勉強よりも、天体観測《てんたいかんそく》に夢中《むちゅう》でした。（笑）もっぱら銀河系《ぎんがけい》の研究《けんきゅう》とか趣味《しゅみ》のほうへ発展《はってん》していきました。私も宿題《しゅくだい》のことで、やきもきはしなかったと思います。根《ね》が楽天家《らくてんか》ですから。（笑）
尊弘には、家庭教師《かていきょうし》の学生さんに来ていただいたことがあります。苦学《くがく》している学生さんを少しでも応援《おうえん》したい、という主人《しゅじん》の思いもあったのです。
ただ、家庭教師になる学生さんは困《こま》られたと思います。尊弘の機転《きてん》には、私も負《ま》けましたけど、あの子は、とにかく、すばしっこかったのです。（笑）
教えられるというペースにはまらないよう、わざといろいろしますから、学生さんも遊《あそ》びにつきあわされ、馬乗《うまの》りにされて、ドタン、バタン、そして最後《さいご》に夕飯《ゆうはん》。いつも、そんな感じでした。（笑）
それでも、あの子には有用《ゆうよう》なお相手《あいて》だったみたいです。（笑）
子どもが受験期《じゅけんき》を迎《むか》えたとき、私としては、主人が創立《そうりつ》した創価大学《そうかだいがく》に、一人は入

昭和51年７月、新宿・信濃町にて（撮影・池田大作）

ってもらいたいと思っておりました。

長男《ちょうなん》は、中学から慶應《けいおう》に行っていたので、そのまま慶應大学に進学《しんがく》しました。

子どもの意思《いし》は、最大限《さいだいげん》に尊重《そんちょう》してきましたが、母親としての気持《きも》ちというのは、私にもそれなりにありました。

二男《じなん》の城久《しろひさ》は、中学から成蹊学園《せいけいがくえん》に行っていましたが、大学は薬科《やっか》大学に進《すす》みたいと言いだしました。それは絶対《ぜったい》に変《か》えない、と言っていました。

最初《さいしょ》に薬大《やくだい》を受《う》けると聞いたときは、びっくりしました。

私自身《じしん》が高等女学校《こうとうじょがっこう》を卒業《そつぎょう》する前、進学するかどうかで、かなり悩《なや》んだときに、人々の健康《けんこう》に尽《つ》くせればと、薬専《やくせん》への志望《しぼう》がありましたから。それで、この子も、と驚《おどろ》きました。

小学生のころから大きい体でした。なんでも大きな派手《はで》なことが好《す》きで、その半《はん》面《めん》、繊細《せんさい》な気持《きも》ちもあって、他人《たにん》思いだったのです。

本人の志望ですから、とにかく本人の意思をそれなりに尊重して、受けさせてあげて、とは思いましたが、私は創価大学《そうかだいがく》に行ってほしいと祈《いの》っておりました。

そのあとに、その志望が変わりましてね。いよいよ受験《じゅけん》というときに、創価大学も受けてみようか、ということになりました。そして、受験で創価大学に行ったら、いいところだからと考え直《なお》して、まあ、しぶしぶ決《き》めたみたいな感《かん》じで、創価大学に入ってくれました。私としてはうれしい結《けっ》果《か》でした。

三男《さんなん》の尊弘《たかひろ》は、小学校からずっと慶應でしたので、そのまま大学に進学しましたが、小学校の教師《きょうし》になる夢《ゆめ》を果《は》たすために、教育学部《きょういくがくぶ》のある創価大学に入学し直しました。創価大学に通《かよ》っていた二男の影響《えいきょう》もあったのかもしれません。

二男が幼《おさな》いころ、ひどい風邪《かぜ》をひきました。そのとき主人《しゅじん》から、どう祈っているのか、と聞かれたんです。「軽《かる》くすむように」って答えたら、「絶対にひかないようにと祈るんだよ」と言われました。

祈りの姿勢《しせい》を教えられました。主人のお題目《だいもく》は、一つもムダがない。

いざというときに「勝《か》つつもりです」というと、「つもりはいけない」「〝必《かなら》ず〟勝つのだ」と言われる。それほど信心《しんじん》に対《たい》しては厳格《げんかく》なんです。

とにかく、子どもたちが絶対に無事故《むじこ》で、ということは祈ってまいりました。子どもたちもまた、こういう立場だから事故を起《お》こしてはいけないと努力してきたと思います。

長男《ちょうなん》の博正《ひろまさ》は、車の免許《めんきょ》をとるのも、大学の友だちの中では、いちばん遅《おそ》かったんです。大学四年にはとりましたが、それまでは、信濃町《しなのまち》から三田《みた》の慶應大学《けいおうだいがく》まで自転《じてん》車《しゃ》で通学していました。

自転車ではかえって危《あぶ》ないからと言うのですけれど、「自転車で事故《じこ》にあっても、こっちがけがをすればすむけど、車で事故を起こした場合《ばあい》は、相手《あいて》にけがをさせる」と言うのです。

「だから、自分は車には乗《の》らないんだ」とも言いました。

私が、「自分がけがをしても、多くの学《がっ》会員《かいいん》の方《かた》たちに迷惑《めいわく》をかけます。あなたが注意深《ちゅういぶか》く運転《うんてん》すればいいでしょう」と申《もう》しましたら、ようやく免許をとる気持《きも》ちになったようでした。

そういう意識《いしき》が博正にはありました。しかたないのです、長男に生まれたのは宿命《しゅくめい》ですから。(笑)

三男《さんなん》などは、高校を卒業《そつぎょう》するときにすぐとりました。それも自由《じゆう》ですね。(笑)

昭和44年、新宿・信濃町の自宅台所にて

三男《さんなん》の尊弘《たかひろ》さんが大学生のころのことです。

ある日、かなり深夜《しんや》になっても帰宅《きたく》されない。先生が帰宅されても、まだなかなか帰ってこられない。先生は、大変《たいへん》ご心配《しんぱい》の様子《ようす》で、奥様《おくさま》は、むしろ落《お》ち着《つ》いておられた。（笑）

いよいよになって、先生が「どうしたんだ」と言われたら、奥様は「たぶん海でしょう。まだヨットに乗《の》っているほうが、繁《はん》華街《かがい》で遊《あそ》んでいるよりも、いいじゃありませんか」と。

（お手伝《てつだ》いさんの話）

あのときは、遭難《そうなん》したのではないか、と心配《しんぱい》しました。そうした経験《けいけん》をしながら、子どもたちは、だんだんに自主独立《じしゅどくりつ》をしていきました。

第4章 幾山河

夫《おっと》の「開拓《かいたく》」の日々を支《ささ》える妻《つま》の役割《やくわり》

昭和《しょうわ》三十五（1960）年の五月三日。

この日は、夫人《ふじん》にとって「一生忘《わす》れられない日」になりました。池田氏《いけだし》が創価学会会長《そうかがっかいかいちょう》に就任《しゅうにん》した日のことです。そして、「この日を境《さかい》に、生活は『私《わたくし》』の部分《ぶぶん》より『公《おおやけ》』の部分の比重《ひじゅう》が、徐々《じょじょ》に重《おも》くなっていきました」。

池田氏の仕事《しごと》は多忙《たぼう》を極《きわ》め、全世界《ぜんせかい》から絶《た》え間《ま》なく、連絡《れんらく》、報告《ほうこく》が入ります。しかも体調《たいちょう》はすぐれません。

夫人の暮《く》らしも一変《いっぺん》しました。

昭和四十四（1969）年冬に、池田氏が旅先《たびさき》で病気《びょうき》になったことをきっかけに、医師《いし》の強い要望《ようぼう》を受《う》け、夫人は国内の諸行事《しょぎょうじ》に同行するようになりました。

海外へは、すでに昭和三十九（1964）年秋の東南アジア、中東、ヨーロッパ歴訪《れきほう》のときから、同行するようになっていました。それも池田氏がアメリカ訪問《ほうもん》のおりに体調を崩《くず》し、執行部《しっこうぶ》の要請《ようせい》があったからでした。

そんな日々の中でも、夫人は、自分のす

昭和44年３月、新宿・信濃町の自宅にて

べきことを当然《とうぜん》のようにきちんと果《は》たしていくのです。困難《こんなん》をものともしない夫人《ふじん》の明るさは、家族《かぞく》にとってどんなに頼《たの》もしかったことでしょう。

何があっても心《こころ》がぶれることがない夫人でしたが、「そばにいる私も本当に疲《つか》れ、体調《たいちょう》を崩《くず》したことがありました」。昭和《しょうわ》五十（１９７５）年の秋のことです。

深夜《しんや》に疲《つか》れて帰宅《きたく》する夫《おっと》を休《やす》ませようと、ご自身《じしん》は寝室《しんしつ》ではなく「じゅうたんを敷《し》いた廊下《ろうか》で寝《ね》ておりました」という厳《きび》しい毎日だったのです。しかし、ここでも夫人の究極《きゅうきょく》のプラス思考が発揮《はっき》されました。

自分の病気《びょうき》を通して、初《はじ》めて夫の体のつらさがわかり、いい経験《けいけん》だったというのです。

昭和四十九（１９７４）年に、初めて中《ちゅう》国《ごく》を訪問《ほうもん》したときは、その率直《そっちょく》な発言《はつげん》で、夫をハラハラさせる場面《ばめん》がありました。

しかし、その夫人の発言で、かえって中国の方《かた》との信頼関係《しんらいかんけい》が深《ふか》まっていきます。

勇気《ゆうき》ある夫人の面目躍如《めんぼくやくじょ》といったところでしょうか。夫のホッとした表情《ひょうじょう》が目に浮《う》かぶようです。

トインビー博士《はかせ》ご夫妻《ふさい》、周恩来総理《しゅうおんらいそうり》ご夫妻をはじめ、海外《かいがい》の要人《ようじん》たちとの家族ぐるみの交流《こうりゅう》が、「新しい友情《ゆうじょう》の道」を大きく開《ひら》いていきました。

昭和44年３月、新宿・信濃町の自宅にて

――『若《わか》き日《ひ》の日記《にっき》』には、「遂《つい》に戸田《とだ》先生《せんせい》は会長となられる。待《ま》ちに待った、吾等《われら》門下生《もんかせい》の願望《がんぼう》であった。生涯《しょうがい》の歴史《れきし》とならん、この日」と記《しる》されています。

当時、二十三歳の青年でした。

昭和《しょうわ》二十六（１９５１）年の一月六日の日記に、「一晩中《ひとばんじゅう》、先生宅《たく》にて、種々《しゅじゅ》お手伝《てつだ》い。先生の、なみなみならぬ決意《けつい》を、ひしひしと感《かん》ずる。先生は、正成《まさしげ》の如《ごと》く、吾《わ》れは、正行《まさつら》の如くなり。……後《こう》継者《けいしゃ》は、私であることが決《き》まった」と。師弟《してい》の深《ふか》い絆《きずな》を感じます。

そういうことは、私には、まだ全然《ぜんぜん》わかりませんでした。

結婚《けっこん》してからも、会長に推戴《すいたい》されて就任《しゅうにん》する日まで、そういう内実《ないじつ》のことは、私は知りませんでした。主人《しゅじん》は、何も言いませんでしたから。（笑）

ただ、戸田先生の直弟子《じきでし》としての使命感《しめいかん》は、交際《こうさい》するようになってから、私なりに感じるようになりましたけれども。

第三代会長就任《だいさんだいかいちょうしゅうにん》の本部総会《ほんぶそうかい》のあと、池田《いけだ》先生《せんせい》の小林町《こばやしちょう》のご自宅《じたく》へ、夫《おっと》とご挨拶《あいさつ》に伺《うかが》いました。玄関《げんかん》はきれいに水が打《う》たれていましてね。打ち水で輝《かがや》いていたのが印象《いんしょう》に残《のこ》っております。

「こんばんは、義一郎《ぎいちろう》です」と夫が言いますと、「上がれよ」と気軽《きがる》におっしゃって、それで上がらせていただいたのです。すると、いつもとは雰囲気《ふんいき》が、全然違《ちが》うんです。奥様《おくさま》もとても厳粛《げんしゅく》でいらして……。そこで先生が「今日《きょう》はね、この人、赤飯《せきはん》も炊《た》いてくれなかったんだよ」「今日はお葬式《そうしき》ですと言うんだよ」と語っておられました。

（故《こ》・白木文《しらきふみ》さんの話）

昭和三十五（1960）年の五月三日、この日はこれまでの生活でいちばん忘《わす》れられない日です。主人が創価学会《そうかがっかい》の会長に就任したのです。

それまでの普通《ふつう》の家族《かぞく》の暮《く》らしは、今日で終《お》わり。明日《あす》からは、主人は公《おおやけ》の人として皆《みな》さまのために働《はたら》くことになる。これは、主人の使命《しめい》であり、主人でなければできない仕事《しごと》なのだから、主人が精一杯《せいいっぱい》、仕事ができるように、私は努力《どりょく》しようと思いました。どんな嵐《あらし》にも耐《た》えよう、と心《こころ》を決《き》めました。

とても会長就任《かいちょうしゅうにん》を喜《よろこ》ぶ心境《しんきょう》には、なれませんでした。「今日《きょう》はお葬式《そうしき》」というのが、偽《いつわ》らざる心情《しんじょう》だったのです。

この日を境《さかい》に、生活は「私《わたくし》」の部分《ぶぶん》より「公《おおやけ》」の部分の比重《ひじゅう》が、徐々《じょじょ》に重《おも》くなっていきました。

昭和《しょうわ》四十四（１９６９）年の暮《く》れでしょうか、先生も世《よ》にいう厄年《やくどし》だったのですが、体調《たいちょう》を崩《くず》されて、とても厳《きび》しいときがありました。熱《ねつ》もずっとおありでした。

そんな日々でも、奥様《おくさま》はほんとうに泰然《たいぜん》自若《じじゃく》といいますか、お子さんたちに対《たい》するときは普段《ふだん》とちっとも変《か》わらないご様子《ようす》なのです。

すべてをてきぱきとなさっていらっしゃるお姿《すがた》を見ていて、とても真似《まね》はできないなあ、と思うばかりでした。

（お手伝《てつだ》いさんの話）

昭和四十四（１９６９）年の夏、主人《しゅじん》は、十万人の方《かた》が参加《さんか》する夏季講習会《かきこうしゅうかい》に全力《ぜんりょく》でとり組み、人材《じんざい》の育成《いくせい》に当たっておりました。その疲《つか》れも重《かさ》なって、この年の冬、関西《かんさい》、中部《ちゅうぶ》を激励《げきれい》に回るなかで、風邪《かぜ》をこじらせて肺炎《はいえん》にかかってしまったんです。

創価学会第三代会長就任の日（昭和35年5月3日）

大阪《おおさか》で、四〇度《ど》以上《いじょう》の高熱《こうねつ》を出している主人《しゅじん》のもとへ、急《きゅう》きょ、私も東京《とうきょう》から駆《か》けつけました。

医師《いし》からは「絶対安静《ぜったいあんせい》」と言われていましたが、主人は「幾万《いくまん》の友が待《ま》っているから」と、渾身《こんしん》の力《ちから》を振《ふ》りしぼって、和歌山《わかやま》、奈良《なら》、三重《みえ》への激励《げきれい》を続《つづ》けたんです。私も必死《ひっし》でした。

それ以来《いらい》、医師から、国内の諸行事《しょぎょうじ》にも同行するよう、強く言われました。

海外へは、アメリカ訪問《ほうもん》のおりに体調《たいちょう》を崩《くず》したこともあり、執行部《しっこうぶ》からの要請《ようせい》で、昭和《しょうわ》三十九（１９６４）年秋の東南アジア、中東、ヨーロッパ歴訪《れきほう》のときから、同行するようになりました。

特《とく》に、行く先々で要人《ようじん》や識者《しきしゃ》の方々《かたがた》にお会いするなど、対外的《たいがいてき》な活動《かつどう》も急激《きゅうげき》に増《ふ》えましたので、夫婦同伴《ふうふどうはん》のほうがふさわしいことが多くなったんです。

ともかく、主人の人生は「開拓《かいたく》」です。どこへ行きましても、それも徹底《てってい》して新しい開拓をしていきます。

どうしても、男性《だんせい》ばかりですと、対話《たいわ》の場も、堅《かた》い雰囲気《ふんいき》になりがちです。そこに女性《じょせい》が加《くわ》わりますと、やはり、その場がなごやかになるのは不思議《ふしぎ》ですね。（笑）自然《しぜん》のうちに「ご家族《かぞく》はお元気ですか」とか、「わが家《や》も、三人、息子《むすこ》がおりまして」とか、そういう話にもなりますし、互《たが》いの心《こころ》が、より親《した》しく、ほどけてくる場合も多々ございました。

街頭宣伝車《がいとうせんでんしゃ》が、大音量《だいおんりょう》で先生や学会の悪《わる》口《くち》を流《なが》し、騒《さわ》いでいたころのことです。

奥様《おくさま》は、街宣車が信濃町《しなのまち》の本部《ほんぶ》とお宅《たく》の周《まわ》りに来ている真《ま》っ最中《さいちゅう》にも、婦人会館《ふじんかいかん》で、皆《みな》とお題目《だいもく》を唱《とな》えてくださったんです。

「お題目をあげましょう。今日《きょう》は千遍《せんべん》ね」と自分で数えられながら。

そして、「こんなにあげていることが、あとでどんなふうになるか楽しみですよね」とおっしゃいました。

暗雲《あんうん》がいつ吹《ふ》き払《はら》われるか、先のことは予想《よそう》すらつかない時期《じき》でした。でも、奥様は「楽しみね」と、どんな場合にも大確信《だいかくしん》でした。

（婦人部幹部《ふじんぶかんぶ》の話）

主人は、学会の最高責任者《さいこうせきにんしゃ》であり、あらゆる責任を担《にな》っておりました。

ですから、「法華経《ほけきょう》の実践者《じっせんしゃ》は悪口罵詈《あっくめり》され怨嫉《おんしつ》される（怨《あだ》まれ嫉《ねた》まれる）」と説《と》かれるとおりに、非難中傷《ひなんちゅうしょう》されるのは当然《とうぜん》のことと、主人も私も思っておりました。

それにしても、一部《いちぶ》の雑誌《ざっし》などが行った中傷《ちゅうしょう》は、目に余《あま》るものがありました。

それは、私も憤《いきどお》りを感《かん》じました。まったくの嘘《うそ》であり、事実無根《じじつむこん》ですから。

売らんがための人権蹂躙《じんけんじゅうりん》のデマを含《ふく》めて「ジャーナリズム」というのでしたら、そのせっかくの真価《しんか》が失《うしな》われるのではないでしょうか。

もちろん「言論《げんろん》の自由《じゆう》」は大切と思います。しかし、その「自由」は、人々の幸《しあわ》せのためにならなくてはと思います。

主人《しゅじん》は、夜遅《よるおそ》くに「疲《つか》れた」と言って帰ってきます。相当《そうとう》に神経《しんけい》が疲れているらしく、すぐには眠《ねむ》れないようなんです。床《とこ》に入ってからも何か考えている様子《ようす》なのです。

二階《にかい》が寝室《しんしつ》だったのですが、朝早く、私が起《お》きだすと、すぐに目を覚《さ》ましてしまいますし、夜中に指示《しじ》を出されてメモをとらなければいけないときもありました。すぐに対応《たいおう》できるように、私はじゅうたんを敷《し》いた廊下《ろうか》に寝《ね》ておりました。

そして朝、起きると一気に仕事《しごと》にかかります。

昭和《しょうわ》四十（１９６５）年の元旦《がんたん》からは、小説《しょうせつ》『人間革命《にんげんかくめい》』の連載《れんさい》が始《はじ》まりました。当時《とうじ》、聖教新聞《せいきょうしんぶん》は週三回の発刊《はっかん》でしたが、

昭和48年4月、新宿・信濃町の自宅にて

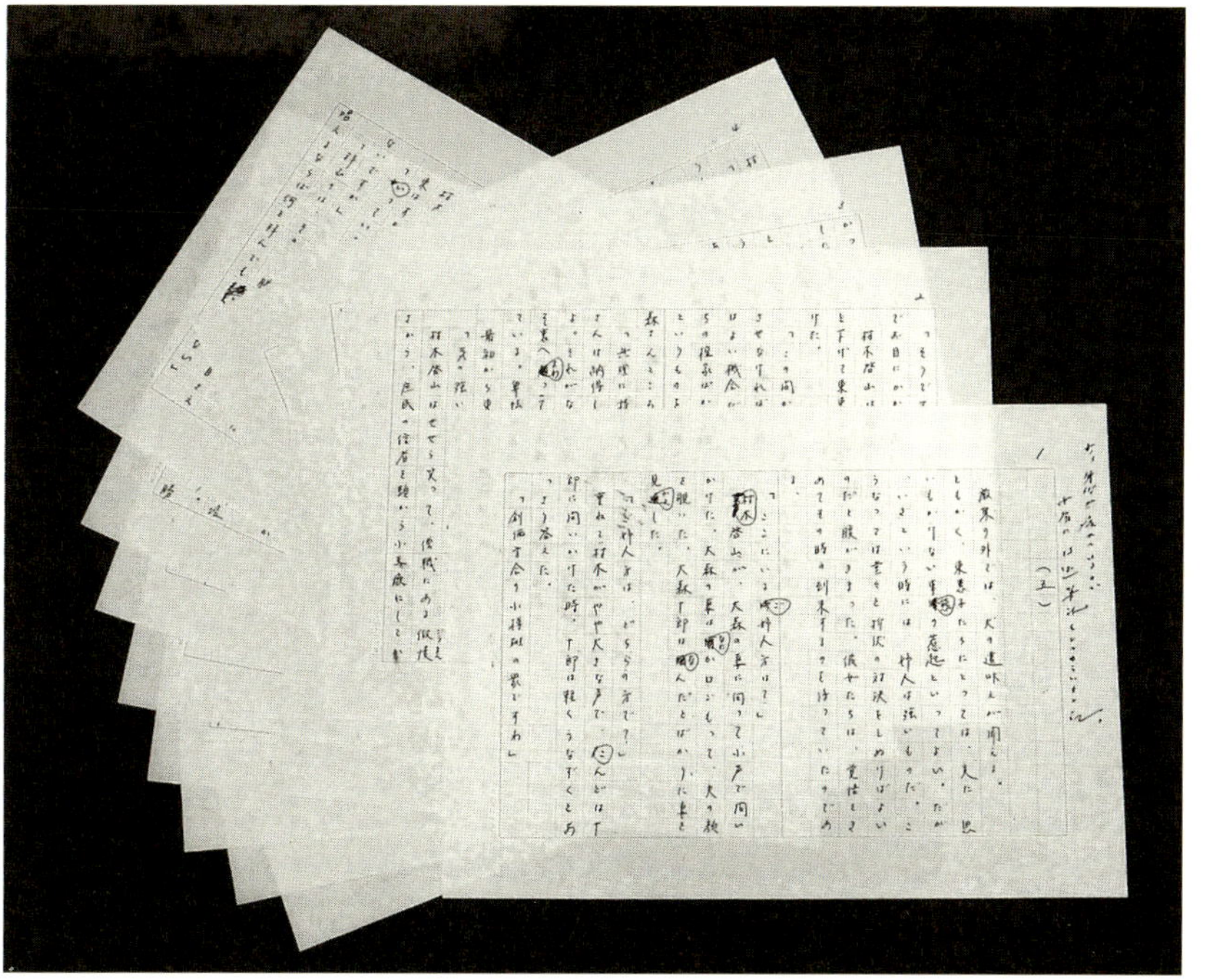

小説『人間革命』の口述原稿。「少々身体が疲れているので女房に口述筆記をしてもらいました」との記述がある（昭和49年ごろ）

半年後の七月から日刊《にっかん》になりました。連載《れんさい》は、日曜日も休《やす》みなく毎日でしたから、寝室《しんしつ》の隣《となり》の部屋《へや》に文机《ふみづくえ》をおいて、朝一番から、すぐに執筆《しっぴつ》できるように原稿用紙《げんこうようし》を広げておりました。

私も、いつでも主人《しゅじん》の口述《こうじゅつ》を筆記《ひっき》できるように準備《じゅんび》をしていたものです。

それでも、体調《たいちょう》を崩《くず》したときには、さすがに「原稿用紙を見るだけで吐《は》き気《け》がする」と言われ、目の前からとり払《はら》ったこともありました。

海外に出たときには、主人が休めるよう、私は長いすで寝《ね》るときもありました。

——睡眠《すいみん》時間は、どれくらいとれましたか。

だいたい、一日、四、五時間でした。

最近《さいきん》は、よく眠《ねむ》るようにしていますが、長い間、そういう生活でしたね。

海外では、さあホテルに着《つ》きました、カバンをほどきました、それで、ともかく主人を休ませなければなりません。

まず休ませて、その間にご飯《はん》を炊《た》いたり。それも、ホテルのバスルーム、つまりお風呂場《ふろば》ですね。そこで持参《じさん》してきたボン

べを使《つか》って、といった具合《ぐあい》でした。それが私の適役《てきやく》でした。（笑）

主人は当時、パン食がだめで、外国へ出るときは、お米のパックを用意《ようい》したり、主人の好《す》きなものを考えて、海苔《のり》とか、しょうゆとか、お餅《もち》などを持参《じさん》していきました。昔《むかし》は、日本食など、どこにもありませんでしたから、いつも同じメニューになってしまって、今日《きょう》は何を食べてもらおうかと、気をもんだこともありました。（笑）

――昭和《しょうわ》四十九（1974）年、ご夫妻《ふさい》は、一月は香港《ホンコン》に、三月から四月にかけて北アメリカと南アメリカ、五月から六月は中国《ちゅうごく》へ、九月にソ連《れん》へ、そして十二月に再《ふたた》び中国訪問《ほうもん》をされています。

そして昭和五十（1975）年も、一月がアメリカ、四月が中国、五月がヨーロッパおよびソ連、七月がハワイ訪問でした。

主人の仕事《しごと》は、多忙《たぼう》を極《きわ》め、深夜《しんや》にまで及《およ》びました。

全世界《ぜんせかい》から絶《た》え間なく、連絡《れんらく》、報告《ほうこく》が入

ります。電話での交信《こうしん》、激励《げきれい》なども時間を問《と》いません。

体調《たいちょう》は、よくありませんでした。寝汗《ねあせ》もかいておりましたし。そうした状態《じょうたい》で、戦《たたか》わなくてはならない日が続《つづ》きました。

そばにいる私も本当に疲《つか》れ、肝臓《かんぞう》を患《わずら》って、体調を崩《くず》したことがありました。昭和《しょうわ》五十（1975）年の秋のことです。

しかし、それも全部《ぜんぶ》、皆《みな》さまの励《はげ》ましで乗《の》り越《こ》えることができました。

私は、もともと丈夫《じょうぶ》にできていて、一晩《ひとばん》、二晩は寝《ね》なくても平気《へいき》でした。

それまで、病気《びょうき》というものをしたことがなかったので、主人《しゅじん》が熱《ねつ》を出して苦《くる》しんでいるときも、わかっているようで、本当はわかっていなかったのですね。

やはり自分が病気をしてみて、体の具合《ぐあい》が悪《わる》いときのつらさというものが、初《はじ》めてわかりました。

その意味《いみ》では、いい経験《けいけん》をしたと思っています。

実《じつ》を言いますと、この昭和五十（1975）年の当時は、何しろ主人が大変《たいへん》なときでした。創価学会全体《そうかがっかいぜんたい》も大きな試練《しれん》に立《た》ち向《む》かっていましたから、私は「主人の病気をかわりたい」と祈《いの》っていたのです。そうしたら、本当に病気になってしまいました。

主人に「君《きみ》はばかだよ。君が病気になったのでは、みんなが困《こま》る。そこまで考えなかったのか」と叱《しか》られました。あのときは、それで自分が病気になっても、まだ動《うご》ける、（笑）と思っていたんです。

あのときを境《さかい》に、子どもたちも、自分たちのことは自分たちでやるように役割分担《やくわりぶんたん》を決《き》めて、一家みんなで生活を切りかえました。

それからは、多少、自分を大切にするようになりました。

それまで、自分のことはいっさい祈らなかったのですが、自分も含《ふく》めて家族全員《かぞくぜんいん》、そして全同志《ぜんどうし》の健康《けんこう》、無事故《むじこ》を一段《いちだん》と真剣《しんけん》に祈るようになりました。

初《はじ》めて中国《ちゅうごく》へ行ったときのことです。あちらでは、必《かなら》ず円卓《えんたく》の形で、皆《みな》さん方《がた》と懇《こん》談《だん》の席《せき》を持《も》ちます。全員が一人ひとり発言《はつげん》しなければならないような、やりとりになるんです。

そのような場合も、私は主人と一緒《いっしょ》ということで、発言しないでいました。そうしますと、ずるいと言われまして、（笑）「私など、お手伝《てつだ》いさんがついてきているようなものですから」と申《もう》し上げ、一同爆笑《いちどうばくしょう》となったこともあります。（笑）

それでも、どうしても発言をと求《もと》められ

ましたので、一言《ひとこと》、率直《そっちょく》な感想《かんそう》を語らせていただきました。

「日本では、共産主義《きょうさんしゅぎ》は怖《こわ》いといわれてきました。ですから、貴国《きこく》にも怖い国というイメージがありました。でも、お話をしてみると、愛情《あいじょう》のあふれた人間的《にんげんてき》なお国であることがよくわかりました」

隣《となり》の主人《しゅじん》にしてみれば、何を言いだすのかと気が気でなかったと思います。(笑)ただ、中国《ちゅうごく》の方々《かたがた》は、かえって「正直《しょうじき》に本当のことを言う」(笑)と心《こころ》を開《ひら》いてくださり、信頼《しんらい》していただけたようです。

北京《ぺきん》から、西安《せいあん》、鄭州《ていしゅう》、南京《なんきん》、上海《しゃんはい》、杭州《こうしゅう》、広州《こうしゅう》へ案内《あんない》してくださったのは、いまは亡《な》き中日友好協会《ちゅうにちゆうこうきょうかい》の孫平化先生《そんへいかせんせい》(当時、秘書長《ひしょちょう》)でした。東京工業大学《とうきょうこうぎょうだいがく》に留学《りゅうがく》された日本通《にほんつう》です。

その道中、「日本の食《た》べ物《もの》で、お好《す》きなものはありますか」と伺《うかが》うと、「納豆《なっとう》」と「いわしの丸干《まるぼ》し」と「大学いも」とのこと。

半年後、再《ふたた》び訪中《ほうちゅう》したとき、その三品《さんぴん》をお土産《みやげ》に持参《じさん》して、大変《たいへん》に喜《よろこ》んでいただいた思い出があります。

そういうことは、私の仕事《しごと》と思ってきました。

日記をつけていた「文化手帖」

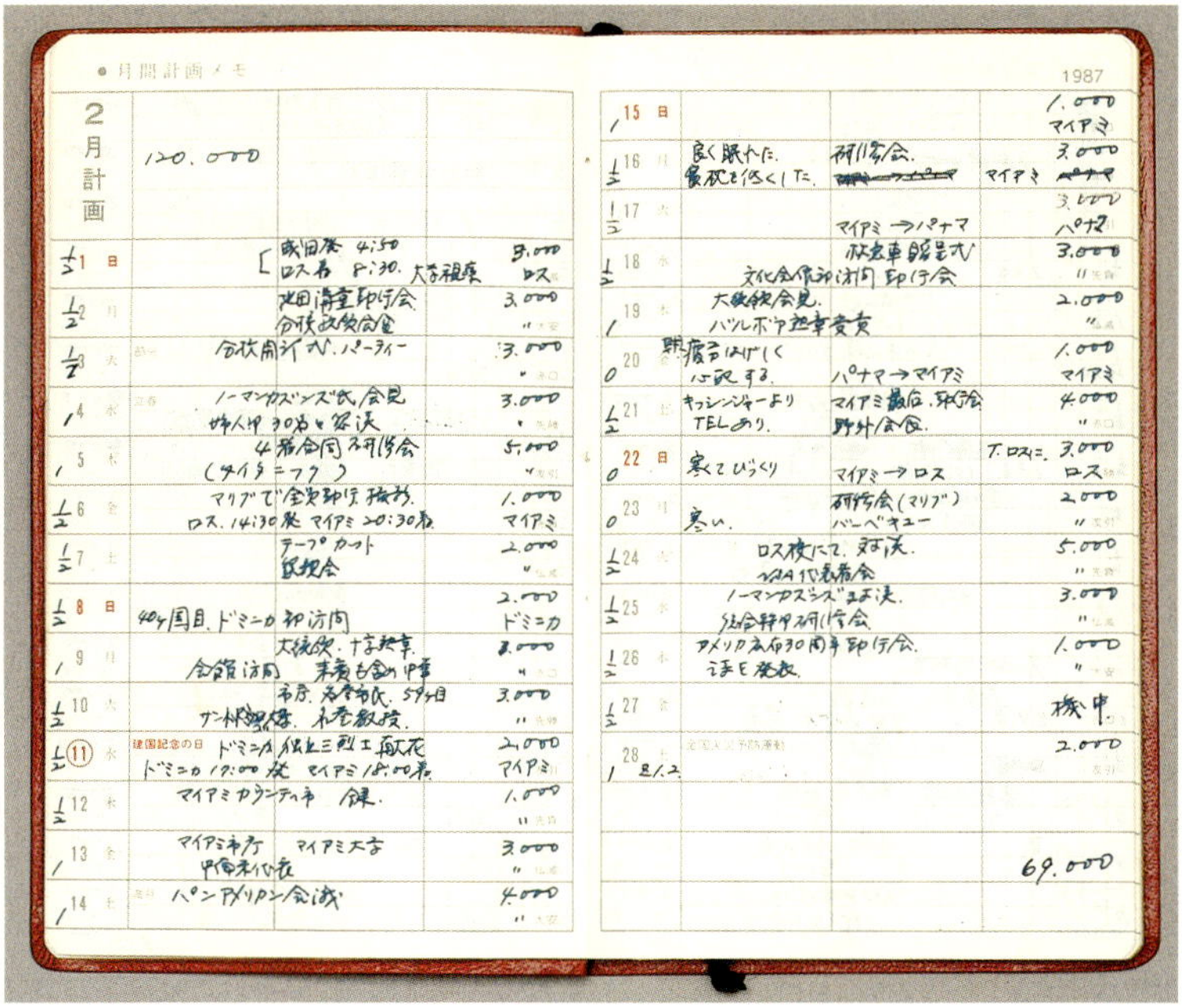

昭和62年２月のスケジュール表。アメリカ、ドミニカなどを訪問

——以来《いらい》、三十星霜《せいそう》。中国訪問《ちゅうごくほうもん》は十度《じゅうど》ですね。実《じつ》に末永《すえなが》い友好《ゆうこう》の道を開《ひら》いてこられました。海外の交友のあった方々《かたがた》で、特《とく》に印象深《いんしょうぶか》い方はいらっしゃいますか。

中国では、やはり周恩来総理《しゅうおんらいそうり》と夫人《ふじん》の鄧《とう》穎超先生《えいちょうせんせい》です。

二度目の訪中《ほうちゅう》の最終日《さいしゅうび》でした（昭和《しょうわ》四十九〈１９７４〉年十二月五日）。答礼《とうれい》の宴《えん》も終《お》わったあと、北京《ぺきん》の夜道を車で案内《あんない》されました。

周総理が、入院《にゅういん》しておられた三〇五病院《びょういん》で私たちを待《ま》っていてくださったのです。

会見は夜九時五十分からでした。総理のご体調《たいちょう》を案《あん》じて、会見は少人数にし、私のみが同席《どうせき》させていただきました。記者《きしゃ》の方もおりませんので、私が必死《ひっし》でメモをとったのです。

周総理は厳然《げんぜん》としていらして、闘病《とうびょう》のご様子《ようす》など、少しも見せられませんでした。

鄧先生は、周総理とご自身《じしん》に重《かさ》ね合わせて、私たち夫婦《ふうふ》のことを見守《みまも》ってくださっているようでした。

鄧先生との出会いは、八回を数えます。

お会いするたびに、ご夫妻《ふさい》の歩《あゆ》んでこられたご苦労《くろう》と、深《ふか》く心《こころ》が通《かよ》い合い、響《ひび》き合うものがございました。

昭和49年12月、周恩来総理と会見。北京の305病院にて

昭和55年４月、北京の鄧穎超女史の自宅にて

北京《ペキン》の中南海《ちゅうなんかい》のご自宅《じたく》にも、たびたびお招《まね》きいただきました。中庭《なかにわ》には、海棠《かいどう》やライラックの花が咲《さ》き香《かお》っておりました。「恩来同志《おんらいどうし》も花が好《す》きでした。ゆっくり観賞《かんしょう》する時間はありませんでしたが、少しでも心《こころ》が休《やす》まるように、工夫《くふう》して、いろいろな花を植《う》えたのです」と、私に微笑《ほほえ》んでおられました。

鄧穎超先生《とうえいちょうせんせい》を日本にお迎《むか》えしたのは、昭和《しょうわ》五十四（1979）年の春です。

四月の十二日に、主人《しゅじん》とともに迎賓館《げいひんかん》へご挨拶《あいさつ》に伺《うかが》いました。

会見会場の「朝日《あさひ》の間《ま》」には、私どもがお届《とど》けした八重桜《やえざくら》が飾《かざ》られておりました。

鄧先生は「私たちは家族《かぞく》です」と言われ、「時間が許《ゆる》すならば、池田先生《いけだせんせい》のご自宅や創価大学《そうかだいがく》を訪問《ほうもん》したい」とも語っておられました。創価大学に記念植樹《きねんしょくじゅ》した「周桜《しゅうざくら》」と「周夫婦桜《しゅうめおとざくら》」の写真《しゃしん》をお持《も》ちすると、それはそれは喜《よろこ》ばれました。

帰り際《ぎわ》、主人が第三代会長《だいさんだいかいちょう》を勇退《ゆうたい》する意向《いこう》をお伝《つた》えしますと、「いけません！　人民《じんみん》の支持《しじ》のある限《かぎ》り、やめてはいけません」と、きっぱりとおっしゃいました。

最後《さいご》にお目にかかったのは、平成《へいせい》二（1990）年の五月二十八日でした。ご自宅

昭和49年６月、第一次訪中の際、北京・十三陵ダム（上）、天安門前（下）

に伺《うかが》って、おいとまを告げると、「友情《ゆうじょう》の形見《かたみ》として」と言われ、周総理《しゅうそうり》愛用《あいよう》の象牙《ぞうげ》のペーパーナイフと、鄧先生《とうせんせい》愛用の玉製《ぎょくせい》の筆立《ふでた》てをお贈《おく》りくださったのです。

ご高齢《こうれい》で、足が不自由《ふじゆう》であられたにもかかわらず、鄧先生は秘書《ひしょ》の方《かた》に抱《だ》きかかえられながら、高い敷居《しきい》をまたいで玄関《げんかん》まで、お見送《みおく》りくださいました。

私たちも車を降《お》りて、もう一度《いちど》、ご挨拶《あいさつ》を交《か》わしました。見えなくなるまで手を振《ふ》ってくださっていた、あのお姿《すがた》は眼《まなこ》から離《はな》れません。

鄧先生が「若《わか》い日、恩来同志《おんらいどうし》と二人で約《やく》束《そく》したことがあります。それは、人民《じんみん》のために奉仕《ほうし》するということです。死《し》んでもこのことは同じです」と言われていたことも、思い出されます。

ロシアでは、昭和《しょうわ》四十九（1974）年の九月、最初《さいしょ》の訪問《ほうもん》のとき、歓迎《かんげい》してくださったのが、モスクワ大学のホフロフ総長《そうちょう》と夫人《ふじん》のエレーナ博士《はかせ》でした。

当時は冷戦《れいせん》の真《ま》っただ中でしたし、中国《ちゅうごく》に続《つづ》いてソ連《れん》へ行くことに、内外から多くの批判《ひはん》や悪口《わるくち》があったことは確《たし》かです。

主人《しゅじん》は「なぜ、宗教否定《しゅうきょうひてい》の国へ行くのか？」と問《と》われて、「そこに人間がいるからです」と答えておりました。

昭和50年５月、モスクワ。池田氏の後ろにホフロフ総長、
右端にエレーナ夫人

平成４年12月、三重にて。子息のアレクセイさんご一家と

本当に、そのとおりでした。

なかでも、ホフロフ総長《そうちょう》ご夫妻《ふさい》は、素晴《すば》らしい人間性《にんげんせい》と知性《ちせい》の微笑《ほほえ》みで迎《むか》えてくださいました。

「鉄《てつ》のカーテン」に固《かた》く閉《と》ざされていた国に「これほど立派《りっぱ》な人格者《じんかくしゃ》がおられるのか」と、それまでのソ連《れん》の印象《いんしょう》は一変《いっぺん》しました。総長ご夫妻の周《まわ》りの方々《かたがた》も、みな温《あたた》かで、新しい友情《ゆうじょう》の道を大きく開《ひら》くことができたのです。

ご夫妻も、私たちとの出会いを通して「一千万の友人をつくることができた」と喜《よろこ》んでくださっておりました。

そういえば、クレムリン宮殿《きゅうでん》のすぐそばにあった宿泊先《しゅくはくさき》のホテルには、各階《かくかい》ごとにカギを預《あず》かる当番の方がついていました。

私たちのフロアを担当《たんとう》される中年のご婦《ふ》人《じん》に、すれ違《ちが》うたびに声をかけて、挨拶《あいさつ》を心《こころ》がけておりましたら、最初《さいしょ》は戸惑《とまど》われたようですが、やがてニコニコと笑顔《えがお》を返《かえ》してくれるようになりました。

お話を伺《うかが》うと、この方も、ご主人《しゅじん》を戦争《せんそう》で亡《な》くされておりました。

平和《へいわ》を願《ねが》う「女性《じょせい》の心」「母の祈《いの》り」に、国境《こっきょう》はないと改《あらた》めて痛感《つうかん》したものです。

ホフロフ総長ご夫妻は、たびたび来日さ

れ、創価学園生《そうかがくえんせい》や創価大学生とも、深《ふか》い交流《こうりゅう》の歴史《れきし》を刻《きざ》んでくださいました。

しかし、残念《ざんねん》なことに、総長は登山中《とざんちゅう》の不慮《ふりょ》の事故《じこ》のため、五十一歳の若《わか》さで急逝《きゅうせい》されたのです。

その後、モスクワ市内の総長の墓前《ぼぜん》に献《けん》花《か》し、ご自宅《じたく》に伺《うかが》ったのは、昭和《しょうわ》五十六（１９８１）年の五月のことです。

主人は、エレーナ夫人《ふじん》と、まだ学生だった二人のご子息《しそく》を、全魂《ぜんこん》込めて励《はげ》ましておりました。「私がお父さんがわりになります」とも申《もう》しておりましたね。

「ご子息が、総長の志《こころざし》を受《う》け継《つ》いで、立派な大学者《だいがくしゃ》になる勝利《しょうり》の日が必《かなら》ず来ます」と、未来《みらい》への希望《きぼう》を贈《おく》ったのです。

その後も、主人は、ご一家との交友を大切にしておりました。平成《へいせい》四（１９９２）年には、ご長男《ちょうなん》のアレクセイさんご一家が、三重《みえ》に滞在中《たいざいちゅう》の私たちのところまで、わざわざ訪《たず》ねてきてくださいました。

ご長男は、異例《いれい》の若《わか》さでモスクワ大学の教授《きょうじゅ》になられ、総長夫人も、モスクワ大学で元気に教鞭《きょうべん》をとられているとのお話に、主人は「言っていたとおりになったね」と本当に喜んでおりました。

いまでもモスクワ大学と創価大学との交

流は大きく広がっております。ホフロフ総《そう》長《ちょう》のあとを継《つ》がれたログノフ総長とも、さらに現在《げんざい》のサドーヴニチィ総長とも、主人《しゅじん》は対談集《たいだんしゅう》を発刊《はっかん》しました。

イギリスでは、歴史学者《れきしがくしゃ》のトインビー博《はか》士《せ》と主人の対談《たいだん》のため、ロンドンの博士のご自宅《じたく》に何度《なんど》もお邪魔《じゃま》させていただきました。

昭和《しょうわ》四十七（1972）年、四十八（1973）年の二年越《にねんご》しの対話《たいわ》です。

赤レンガ造《づく》りのアパートの五階《ごかい》へ、旧式《きゅうしき》のエレベーターで上がりますと、博士とベロニカ夫人《ふじん》が両手《りょうて》を広げて待《ま》っていてくださいました。小躍《こおど》りするように喜《よろこ》ばれ、抱《だ》きかかえて歓迎《かんげい》してくださったのです。

対談を始《はじ》める前に、ご夫妻《ふさい》で、清楚《せいそ》な家の中を、隅《すみ》から隅まで案内《あんない》してくださったご厚情《こうじょう》にも恐縮《きょうしゅく》しました。

トインビー博士ご夫妻も、実《じつ》に仲睦《なかむつ》まじくなごやかで、そして共通《きょうつう》の目的《もくてき》に向《む》かって、一体になっておられました。

――日本では、いかがでしょうか。

そうですね。佐藤栄作総理《さとうえいさくそうり》と寛子夫人《ひろこふじん》と

昭和47年5月、ロンドンのトインビー博士宅にて

は、主人《しゅじん》も私も、忘《わす》れ得《え》ぬ出会いを重《かさ》ねました。

主人は、昭和《しょうわ》四十一（1966）年の年頭の一夜、総理《そうり》から鎌倉《かまくら》・長谷《はせ》の別邸《べってい》にお招《まね》きいただき、長時間懇談《こんだん》をしております。

ご夫妻《ふさい》は、ノーベル平和賞《へいわしょう》を受賞《じゅしょう》された直後にも、賞を見せたいと連絡《れんらく》をいただき、わざわざ信濃町《しなのまち》まで、お越《こ》しくださったのです（昭和五十〈1975〉年の二月）。

その後、総理がお亡《な》くなりになられたあとも、ある雑誌《ざっし》の企画《きかく》で、寛子夫人《ひろこふじん》と私とで対談《たいだん》させていただく機会《きかい》がございました。昭和五十六（1981）年の暮《く》れだったと記憶《きおく》しております。

――寛子夫人の『宰相夫人秘録《さいしょうふじんひろく》』という本の冒頭《ぼうとう》には「初《はじ》めて明かす佐藤総理刺殺未遂事件《さとうそうりしさつみすいじけん》の全貌《ぜんぼう》」と題《だい》する一章《いっしょう》もありました。総理公邸《そうりこうてい》に刺客《しかく》が入《はい》り込《こ》んだ事件《じけん》などが書かれていますね。

そうした総理夫人のお気持《きも》ちは、痛《いた》いほど胸《むね》に迫《せま》りました。

沖縄返還《おきなわへんかん》を実現《じつげん》されるために、総理がど

昭和50年４月、静岡・富士宮にて。母・いちさん（79歳）を背負う池田氏

昭和63年10月、新宿・信濃町の自宅にて。母・静子さん、84歳（撮影・池田大作）

れほど辛労《しんろう》を重《かさ》ねておられたか。

その総理《そうり》を五十年にわたって支《ささ》えてこられたご心境《しんきょう》を、私に母のように語ってくださいました。

寛子《ひろこ》夫人《ふじん》は、たいへんな楽天家《らくてんか》でいらっしゃいました。おおらかでいらして、対談《たいだん》はとても楽しいものでした。

『風《かぜ》と共《とも》に去《さ》りぬ』のスカーレット・オハラの生き方を通して、「明日《あした》になればまた日が昇《のぼ》る」と朗《ほが》らかに語っておられたことも、心《こころ》に深《ふか》く刻《きざ》まれております。

このとき、寛子夫人は七十三歳でした。

私は対談を終《お》えたあと、同席《どうせき》された方《かた》に、「奥様《おくさま》の年齢《ねんれい》まで、あと二十五年あるんですけれど、あのようにいつまでも活躍《かつやく》できるかしら……」と話したことを覚《おぼ》えています。

いま、その年代《ねんだい》になり、私も若《わか》い方たちへの一層《いっそう》の励《はげ》ましをと思っております。

第5章 微笑み賞

妻《つま》の一途《いちず》さがつくり出す家族《かぞく》の絆《きずな》

この章《しょう》の見出しは、「妻に感謝状《かんしゃじょう》をあげるとしたら、『微笑《ほほえ》み賞《しょう》』でしょうか」と語った池田氏《いけだし》の言葉《ことば》から名づけました。平成《へいせい》三（1991）年、「主婦の友《しゅふのとも》」新年号《しんねんごう》のご夫婦《ふうふ》への特別《とくべつ》インタビューでの発言《はつげん》です。

この「妻の笑顔《えがお》」は、池田家にとって特《とく》別《べつ》な意味《いみ》があるものなのです。

香峯子夫人《かねこふじん》は、結婚式《けっこんしき》のとき、師匠《ししょう》の戸《と》田氏《だし》から「家計簿《かけいぼ》をつけること」のほかに、「朝晩《あさばん》、出勤《しゅっきん》するときと帰宅《きたく》するときは、笑顔で送《おく》り迎《むか》えしなさい。どんなに不愉快《ふゆかい》なことがあろうと」という厳命《げんめい》を仰《おお》せつかっていたのです。

そして、池田家では、結婚以来《いらい》、家計簿と「妻の笑顔」の約束《やくそく》は忠実《ちゅうじつ》に守《まも》られてきました。ですから、夫《おっと》は、どんなときも安《あん》心《しん》して「妻の笑顔」に送られ、そして迎えられてきたはずです。

読者《どくしゃ》の皆《みな》さんは、師匠にこう指導《しどう》されても、笑顔を続《つづ》けられるでしょうか。三日ぐらいはできるかもしれません。また、見送《みおく》

平成元年5月、イギリス・ロンドンにて

りだけならできるという方《かた》もいるかもしれません。しかし、毎日です。出勤《しゅっきん》と帰宅時《きたくじ》の夫《おっと》への笑顔《えがお》。これはむずかしいのではないでしょうか。

ご夫妻《ふさい》には、「微笑《ほほえ》み賞《しょう》」の重《おも》みがズシリと感《かん》じられる歳月《さいげつ》がありました。

「小さいころから、子どもたちは『パパが帰ってきたら、もうママに甘《あま》えてはいけない』と思っていたようです」と夫人《ふじん》。その言葉《ことば》からは、夫にまっすぐな妻《つま》の姿《すがた》が見えるようです。

この章《しょう》は、ご夫妻そろってのインタビュー(「主婦《しゅふ》の友《とも》」1990年新年号《しんねんごう》、「主婦の友」1991年新年号より)も交《まじ》えて構成《こうせい》しました。息《いき》のぴったり合ったご夫妻の言葉から、お二人が築《きず》いてきた家族《かぞく》の絆《きずな》の深《ふか》さを読みとることができるでしょう。

「仏法《ぶっぽう》では『男は矢《や》、女が弓《ゆみ》』と説《と》かれます。主人《しゅじん》も、それをよく引きます」と語る夫人。現代《げんだい》では、「男が弓、女が矢」だったり、「どちらも矢」のカップルも多いかもしれません。しかし、どの夫婦《ふうふ》も「幸《しあわ》せになりたい」という思いは一緒《いっしょ》ではないでしょうか。

名誉《めいよ》会長《かいちょう》夫人となったいまも、「私は平《へい》凡《ぼん》な一主婦《いちしゅふ》ですから、表舞台《おもてぶたい》に立つのは苦《に》手《て》なのです」と控《ひか》えめな香峯子《かねこ》夫人。初《はじ》めて半生を率直《そっちょく》に語ったこの本には、夫婦が幸せになるための英知《えいち》が、惜《お》しげなく盛《も》り込《こ》まれています。

現在《げんざい》の立場は、もちろん違《ちが》います。しかし、結婚《けっこん》のスタートラインは、ほとんど皆《みな》さんと一緒なのではないでしょうか。「秀《しゅう》山荘《ざんそう》」というアパートは、四畳半《よじょうはん》の和室《わしつ》と六畳ほどの小さな洋間《ようま》の二間で、台所《だいどころ》も半畳くらいの小さなものでした。洗濯場《せんたくば》とトイレは共同《きょうどう》です。洗濯機などありませんし、お風呂《ふろ》は、もちろん、ついていませんでした。

「私にできることは、まず祈《いの》ることです。主人の無事《ぶじ》と、仕事《しごと》が大成功《だいせいこう》で展開《てんかい》していくように、ということです。このことは、生涯《しょうがい》、変《か》わらないと思います」

どこかが違うとしたら、夫人のこの一途《いちず》さと志《こころざし》の高さなのではないでしょうか。そのことは、きっと夫・池田氏《いけだし》がいちばん感《かん》じているはずです。

もう一度《いちど》、池田家の四つの家訓《かくん》を復唱《ふくしょう》してみたくなりました。

——奥様《おくさま》が「主人《しゅじん》に育《そだ》てられた」とおっしゃるとき、具体的《ぐたいてき》には、どんなことを教えられたのでしょうか。

主人は青年たちに「男性《だんせい》は訓練《くんれん》するものだ」、それから「女性は育てるもの」とよく言います。そういう意味《いみ》では、私は主人に育てられてきたと思います。

信仰《しんこう》の面《めん》でも、自分がこの世《よ》に生まれてきた使命《しめい》といいますか、そういうことも全《ぜん》部《ぶ》、主人に教《おそ》わり、教《おし》えられて、いままできたという感《かん》じなのです。

「私《わたくし》」ごとではなく、「公《おおやけ》」のことでやらなければならないことが遅《おく》れたり、失礼《しつれい》をすると叱《しか》られました。

本当に身《み》につまされることがありました。

ある方《かた》のところに「写真《しゃしん》を送《おく》ってあげなさい」と、主人に言われたことがありました。その方の弟さんが重《おも》い病気《びょうき》で、主人がお見舞《みま》いに伺《うかが》って一緒《いっしょ》に写真を撮《と》り、その写真ができ上がってきたので、「送ってあげなさい」と言われたのです。

それを、私が、四、五日たってから送ったのです。何か手紙《てがみ》を書き添《そ》えて送らなければなりませんでしたから。すると、写真が届《とど》く二、三時間前に、弟さんが亡《な》くなら

平成７年11月、香港にて（撮影・池田大作）

れていたそうなのです。

それはそれは、厳《きび》しく叱《しか》られました。弁《べん》解《かい》の余地《よち》がないのです。私も本当に申《もう》しわけなく思いましたし、言われたときにすぐやっていれば、と後悔《こうかい》もしました。初《はじ》めてといっていいくらい、ショックな出来事《できごと》でしたし、また教訓《きょうくん》にもなりました。

主人《しゅじん》は、叱るのにも、やたらに叱る、ということはございません。ちゃんとした理《り》由《ゆう》があるわけです。

その際《さい》に「もっと早くやればよかった」などと愚痴《ぐち》を言うと、「いまさら言っても、どうしようもないではないか」と、ひどく嫌《きら》いました。


主人は根《ね》っからの教育者《きょういくしゃ》です。何があっても、その人が明るく前へ進《すす》んでいけるように励《はげ》ましています。これは、私や子どもたちにも変《か》わりませんね。


子どもの成長《せいちょう》と幸福《こうふく》にとって、賢明《けんめい》な母こそ太陽《たいよう》です。奥《おく》さんが賢明なことは、一家の幸福です。

仮《かり》に家庭《かてい》に不和《ふわ》があっても、それを消《け》してくれるのは、妻《つま》そして母の笑顔《えがお》です。これにまさるものはありません。言葉《ことば》以上《いじょう》の力《ちから》ですね。妻の笑顔がなくては、安穏《あんのん》のオアシスは考えられません。（池田大作氏）

――奥様《おくさま》だけが知っている、素顔《すがお》の名誉《めいよ》会長《かいちょう》は、どんな方《かた》なのでしょう。

素顔の夫《おっと》は、誠実《せいじつ》という言葉《ことば》がぴったりの人です。約束《やくそく》は必《かなら》ず守《まも》ります。人をなんとか安心《あんしん》させ、喜《よろこ》ばせ、楽しませていくことに、いつも心を砕《くだ》いています。

そうですね、結論的《けつろんてき》には、素顔も公《おおやけ》の顔とまったく同じといってよいと思います。（笑）

ただ、そばで見ていて、これでは疲《つか》れきってしまうと心配《しんぱい》することも、しばしばです。

ともかく「行動《こうどう》の人」「仕事《しごと》の人」ですから、頭も八方、十方に気をつかいますし、寝《ね》ているときしか頭が休《やす》まらないので、なんとか寝てもらうしかありません。

目が覚《さ》めたとたんに、頭が働《はたら》いて、あっちこっちと気をつかいます。

いまでも若《わか》いときと同じように、毎日、机《つくえ》に向《む》かい、本を読んだり、原稿《げんこう》を執筆《しっぴつ》したり、詩《し》を作ったりしています。

仕事をやめようとしないので、その勢《いきお》いを少しでも抑《おさ》えられるのは、私だけなのです。

主人は「仕事をしなくて怒《おこ》られるのはわかるけれども、仕事をしすぎて怒られては

やりきれない」と言っていますが。（笑）

また、多くの人と接《せっ》する主人《しゅじん》は、細《こま》かいところまで、よく気がつきます。

いたわったり心配《しんぱい》したり、本当にその人のことを思って話していることがよくわかります。

陰《かげ》で苦労《くろう》している方々《かたがた》にも、サーチライトのように光を当ててねぎらいます。

私などは、これだけ長い間そばにいて、ずいぶんいろいろなことを覚《おぼ》えてもよさそうなものですけれど、主人に言われて初《はじ》めて、ああ、そうだったということが多いのです。

ですから、よく言うのですが、主人がうさぎで、私は亀《かめ》。（笑）
いいえ、鶴亀《つるかめ》コンビで、ますます健康《けんこう》で長生きしてもらいたいと願《ねが》っています。

自分のことだけではなく、みんなが幸福《こうふく》で仲《なか》よく生きていけるように、希望《きぼう》を与《あた》えていく。人類《じんるい》をどうしていくか、未来《みらい》をどうしていくか、それを考え、尽《つ》くしていく。

――財産《ざいさん》も何もいらない。ただ多くの人に希望を与えていく人生でありたい。これが私の心境《しんきょう》です。妻《つま》も同じでしょう。

（池田大作氏）

昭和49年3月、アメリカ・サンフランシスコにて

――名誉会長《めいよかいちょう》は、いつも奥様《おくさま》に支《ささ》えられてきたとおっしゃいます。

私は、強《つよ》くも賢《かしこ》くもありませんが、主人《しゅじん》から、いつも教えられている信心《しんじん》の力《ちから》と福《ふく》運《うん》を確信《かくしん》して、一緒《いっしょ》に祈《いの》ってきました。祈り抜《ぬ》き、祈り切っていく中で、必《かなら》ず道が開《ひら》けていきます。

私にできることは、まず祈ることです。主人の無事《ぶじ》と、仕事《しごと》が大成功《だいせいこう》で展開《てんかい》していくように、ということです。このことは、生涯《しょうがい》、変《か》わらないと思います。

私は平凡《へいぼん》な一主婦《いちしゅふ》ですから、表舞台《おもてぶたい》に立つのは苦手《にがて》なのです。（笑）

主人が表に出て、私は主人が気持《きも》ちよく休《やす》める家庭《かてい》をつくること、健康《けんこう》を保《たも》つことに力を注《そそ》いで、陰《かげ》でお役《やく》に立《た》ちたいと思ってきました。

それが、主人の舞台が大きく世界《せかい》に広がり、海外にも同行するようになって、陰にいることを周《まわ》りが許《ゆる》してくれなくなったのです。

でも、私はやはり陰で役に立つほうがいいんです。（笑）

主人も、昔《むかし》ほど若《わか》くはありませんから、これから、ますます元気で、皆《みな》さまのために働《はたら》き続《つづ》けられるように、守り役がいよいよ大切になっていると思っています。

妻《つま》は、私が寝《ね》たあとも、会員《かいいん》の方々《かたがた》からのお手紙《てがみ》や報告《ほうこく》に目を通してくれておりました。

深夜《しんや》、人知《ひとし》れず、ひとり深々《しんしん》と、私の体《たい》調《ちょう》を案《あん》じて、祈ってくれる妻でした。厳《きび》しい難《なん》のときも、正義《せいぎ》の絶対《ぜったい》の勝利《しょうり》を確信《かくしん》して、断固《だんこ》と祈り抜いてくれた妻でした。

私の勝利は、妻の勝利です。

（池田大作氏）

日本でも、海外でも、けなげに頑張《がんば》っておられる婦人部《ふじんぶ》、女子部《じょしぶ》の方々との懇談《こんだん》の機会《きかい》を、私は心《こころ》がけてきました。

強い信心を持《も》っていても、病気《びょうき》や経済的《けいざいてき》な問題《もんだい》、また周囲《しゅうい》の無理解《むりかい》などに阻《はば》まれて、つい心がしぼんで、いろいろ悩《なや》むこともあります。

そんなときに、皆さんの悩みを聞いてさしあげるのが私の役目《やくめ》と思ってきました。

婦人部の皆さんは、ほんとにお忙《いそが》しいですもの。家事《かじ》や育児《いくじ》、仕事に加《くわ》えて、学会活《がっかいかつ》動《どう》ですから。三役《さんやく》、四役も当たり前のようです。

その切りかえが大変《たいへん》です。これは、私もよく経験《けいけん》しています。

いろいろなお話を伺《うかが》って、皆《みな》さんが一生《いっしょう》懸命《けんめい》にやってくださっていることがよくわかるのです。ほんとうに頭が下がります。

＊＊＊

昭和《しょうわ》六十三（1988）年の五月三日、「創価学会母の日《そうかがっかいははのひ》」が制定《せいてい》されました。そのおり、関西婦人部《かんさいふじんぶ》の有志《ゆうし》から香峯子夫人《かねこふじん》に贈《おく》られた感謝《かんしゃ》の詩《し》の一節《いっせつ》を紹介《しょうかい》しましょう。

いかなる嵐《あらし》の渦中《かちゅう》にあっても
微笑《ほほえ》みは絶《た》えることなく
ある時《とき》は心《こころ》やさしきナース
ある時は真心《まごころ》あふるる栄養士《えいようし》
ご子息《しそく》たちには
賢母《けんぼ》の指標《しひょう》
示《しめ》すは　はるかなる平和《へいわ》と幸福《こうふく》の道《みち》

暖《あたた》かな澄《す》んだ声《こえ》
聡明《そうめい》な凛《りん》とした振《ふ》る舞《ま》いは
無言《むごん》の励《はげ》まし　希望《きぼう》の船出《ふなで》
感謝《かんしゃ》の念《ねん》　胸奥《きょうおう》より湧《わ》き出《い》ず

平成元年10月、新宿・信濃町にて
（撮影・池田大作）

――皆《みな》さんのかねてからの強い要請《ようせい》で、創価学会《そうかがっかい》の名誉婦人部長《めいよふじんぶちょう》、また創価学会インタナショナルの名誉女性部長《じょせいぶちょう》になられましたね。

アルゼンチンの名門フローレス大学をはじめ、世界の六つの大学から、名誉教授《きょうじゅ》、名誉博士《はかせ》などの称号《しょうごう》、さらに、百以上《いじょう》の都市《とし》からも、名誉市民《しみん》の栄誉《えいよ》が贈《おく》られています。

これは日本の女性にとって、大きな誇《ほこ》りですね。

いいえ、とんでもありません。私は、ただ主人《しゅじん》についてきただけですから。よく「刺《さ》し身《み》のつま・・と同じ妻《つま》」と笑《わら》い合っているんです。（笑）

名誉市民なども、各国《かっこく》で、よき国民《こくみん》、よき市民として貢献《こうけん》されている婦人部《ふじんぶ》、女子部《じょしぶ》の皆さま方《がた》のおかげです。

その代表《だいひょう》として、これからの若《わか》い方々への励《はげ》ましともなればと、謹《つつし》んでお受《う》けさせていただいております。

私の受賞《じゅしょう》のときには、主人は両手《りょうて》の人《ひと》さし指《ゆび》と人さし指で小さく拍手《はくしゅ》して、祝《いわ》ってくれるんですよ。（笑）

家庭《かてい》という字は「家《いえ》」と「庭《にわ》」からできています。「家」が衣食住などの物質面《ぶっしつめん》。「庭」は精神的《せいしんてき》な広がりです。その両方《りょうほう》があって、家庭ができると。

本物《ほんもの》の庭は地価《ちか》が高すぎて、なかなか持《も》てない。（笑）

けれども、わが家《や》という「心《こころ》の庭」に、いっぱい花が咲《さ》き、季節《きせつ》ごとの鳥や虫が鳴いていれば、その家庭は幸《しあわ》せでしょう。

そして、美《うつく》しい庭の土壌《どじょう》が愛情《あいじょう》という大地です。

もちろん、極端《きょくたん》な貧困《ひんこん》は不幸《ふこう》です。しかし、結局《けっきょく》、幸不幸《こうふこう》はお金があるかないかには関係《かんけい》ないものです。

何が幸福《こうふく》で、何が不幸か。幸福はデパートには売っていません。（笑）心一つで、だれもが、すてきな「幸せの庭」を持てるのです。

（池田大作氏）

家庭にあっても、日ごろの心づかいや身《み》だしなみは大切ですね。

お化粧《けしょう》も、そうした気持《きも》ちの延長線上《えんちょうせんじょう》にあるように思います。

たとえ外出しないで、家で過《す》ごすときも、やはり朝一番に、お化粧をし、身だしなみを整《ととの》える習慣《しゅうかん》というのは、大事《だいじ》にしていきたいものですね。

仏典《ぶってん》にも「女性《じょせい》にとって鏡《かがみ》はかけがえのないものである」と説《と》かれています。

どんな場合にも、母親自《みずか》らが、ときには草花に語りかけるような、ときにはいい音楽に耳を傾《かたむ》けるような、ときには美《うつく》しい絵を見て「ああ、いいな」と思えるような、つまり心《こころ》のゆとりを失《うしな》ってはいけないと思います。

——いま、いちばん気に入っていらっしゃる歌は、何かありますか。

最近《さいきん》、ある方《かた》から、お手紙をいただいて、「野に咲《さ》く花のように」という歌を教えていただきました。

♬野に咲く花のように
風に吹《ふ》かれて
野に咲く花のように
人をさわやかにして

（詞・杉山政美　曲・小林亜星）

と始《はじ》まる歌です。

そのお手紙には、「この歌を〝奥様《おくさま》の歌〟と勝手《かって》に意義《いぎ》づけて、（笑）いつも口《くち》ずさ

昭和63年１月、二男・城久さんの家族と

みながら、人生の山坂《やまさか》のつらいことや悲《かな》しいことを乗《の》り越《こ》えて、生《い》き抜《ぬ》いてきました」と綴《つづ》られていました。もったいないことです。それがきっかけで、私も聞くようになりました。

　そういえば、主人《しゅじん》の「自然《しぜん》との対話《たいわ》」の写真《しゃしん》でも、皆《みな》が見過《みす》ごしてしまうような「野に咲《さ》く花」にレンズを向《む》けたものが、よくあります。

——ご主人から誕生日《たんじょうび》のプレゼントをいただいたことはありますか。

夫婦《めおと》して
　また夫婦して
　築《きず》きたる
三世《さんぜ》の幸《さち》の
　この道《みち》たしかと

　　二月二十七日

　この歌は、たまたま日記に書いてありましたので……。私の誕生日に、主人から贈《おく》られた歌です。

私の誕生日には、子どもたちが誕生祝《いわ》いをくれたりしまして、主人も思い出すようです。（笑）たまたま、そういうときに時間があったりすると、和歌《わか》や句《く》を書いて贈ってくれます。

私は、主人の和歌を筆記《ひっき》するだけ。主人には、記録係《きろくがかり》と言われています。（笑）記録係をやっていたら、相当《そうとう》うまくなるのではと思うのでしょうか、たまに下《しも》の句《く》を作りなさいと言われるのですけど、とんでもないのを作ったりして笑《わら》われます。（笑）主人のそばにいても、絶対《ぜったい》、上手《じょうず》にならないことを、私は自覚《じかく》しているんです。（笑）

私の本ができたときに、歌を書いてあげることが多々あります。誕生日は、たまに忘《わす》れてしまうんですよ。（笑）
女性《じょせい》には、誕生日を言っていい年齢《ねんれい》と、もう言ってはいけない年齢があるようですし。（笑）
妻《つま》の写真を撮《と》ったことはあります。詩は作ろうと思ったけれども、顔を見合わせれば、笑ったり、叱《しか》られたり、身近《みぢか》すぎて、詩にならない。（笑）
（池田大作氏）

――お好《す》きな言葉《ことば》の中から、読者《どくしゃ》の方《かた》の励《はげ》みになるような言葉をお教えくださ い。

私のいちばん好きな言葉は、主人《しゅじん》から贈《おく》られた言葉で、「愚痴《ぐち》は福運《ふくうん》を消《け》し、感謝《かんしゃ》の唱題《しょうだい》は万代《ばんだい》の幸《さち》を築《きず》く」です。

すべてをいいほうにとっていこうとする言葉です。その姿勢《しせい》は、私の習慣《しゅうかん》になった気がします。

――ほかにはどうでしょうか。

そうですね。

今日《きょう》も負《ま》けるな
今日も勇《いさ》みて
誓《ちか》いの道《みち》を

という言葉も贈ってくれました。

私も、波乱《はらん》の人生にお供《とも》して、ずいぶん鍛《きた》えられましたから、いつの間にか、何があっても驚《おどろ》かなくなってしまったんです。（笑）

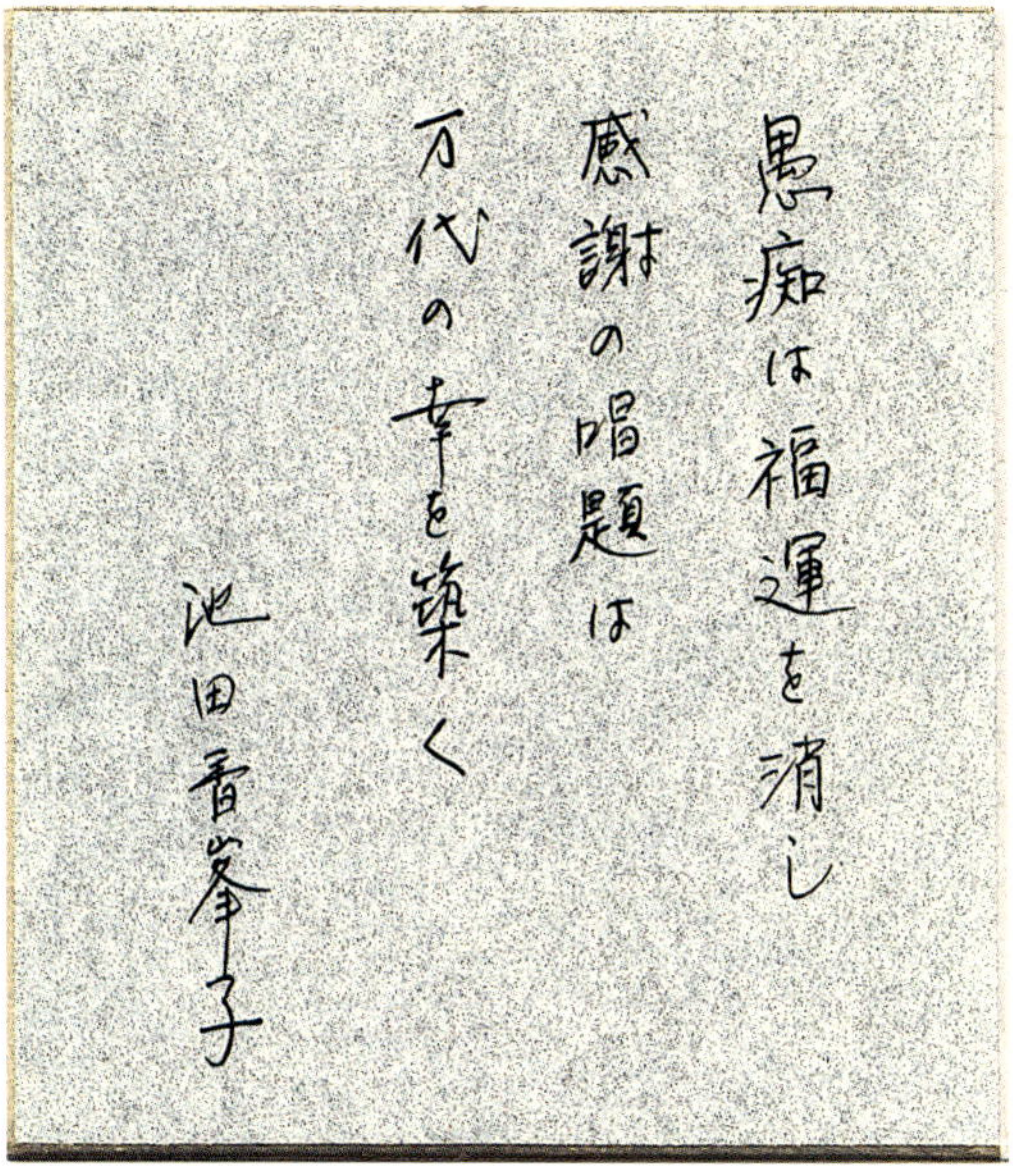
愚痴は福運を消し
感謝の唱題は
万代の幸を築く
池田香峯子

昭和57年11月、東京・文京の友に贈る

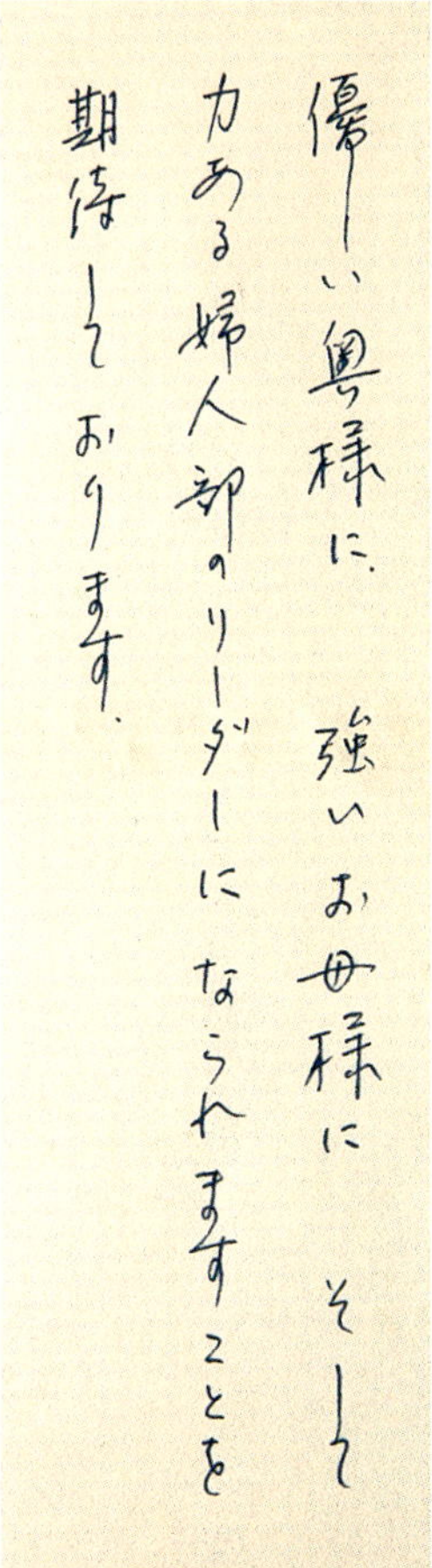
優しい奥様に　強いお母様に　そして
力ある婦人部のリーダーになられますことを
期待しております。

結婚間近の女子部幹部に贈った言葉（昭和61年２月）

――奥様《おくさま》が若《わか》い女性《じょせい》に贈《おく》りたい言葉《ことば》は、どうでしょうか。

ヤングミセスの方々《かたがた》に、私はよく、

優《やさ》しい奥様に
強《つよ》いお母様《かあさま》に
そして
力《ちから》ある婦人部《ふじんぶ》のリーダーに

と書いて贈らせていただきました。

――いまの趣味《しゅみ》といいますか、生きがいをお聞かせください。

いまは、人に希望《きぼう》を持《も》たせてあげることと、友人を心《こころ》から励《はげ》ますことが、私たちの人生の生きがいになっています。
一般的《いっぱんてき》な趣味は通《とお》り越《こ》しまして、（笑）私個人《こじん》にとっての喜《よろこ》びはそれでよいのではと思っています。

昭和48年11月、新宿・信濃町の自宅にて。
新春用の写真撮影

妻《つま》は私にとって、人生《じんせい》の伴侶《はんりょ》であり、ときには看護師《かんごし》であり、秘書《ひしょ》であり、母のようでもあり、娘《むすめ》か妹《いもうと》でもあり、何より第一《だいいち》の戦友《せんゆう》です。

妻に感謝状《かんしゃじょう》をあげるとしたら、「微笑《ほほえ》み賞《しょう》」でしょうか。あらゆる意味《いみ》を、そこに込《こ》めて。

ともかく妻には健康《けんこう》で、いつまでも若々《わかわか》しくあってほしい。

私の真実《しんじつ》をいちばん知っているのは妻ですし、妻の誠実《せいじつ》さとけなげさをいちばんわかっているのは、私だと思っています。

妻との結婚《けっこん》は、私の人生にとって、かけがえのない幸《しあわ》せでした。

その意味で、「また生まれてきたら、次《つぎ》の世《よ》も、また次の世も、永遠《えいえん》にどうぞよろしく」というところでしょうか。感謝状ではなく、委任状《いにんじょう》になってしまいましたが……。(笑)

(池田大作氏)

エピローグ

ここに「池田大作《いけだだいさく》さんご一家《いっか》　おもてなしの心《こころ》」と題《だい》する一編《いっぺん》の取材記事《しゅざいきじ》（『婦人《ふじん》と暮《くら》し』昭和《しょうわ》四十九年冬号《ふゆごう》）があります。取材・文は、児玉隆也《こだまたかや》さん。昭和五十（1975）年に三十八歳で亡《な》くなった伝説《でんせつ》のジャーナリストです。

――ご夫妻《ふさい》の姿《すがた》が活写《かっしゃ》されています。その一節《いっせつ》をご紹介《しょうかい》しましょう。

昭和四十八（1973）年、児玉さんが亡くなる一年半前の、初冬《しょとう》のある日の情景《じょうけい》です。

「……池田氏《いけだし》は奥《おく》さんを何かといえばポンと肩《かた》をたたきあい――がお癖《くせ》になっていて、『かまわない、かまわない』ポン、『いいから、いいから』ポン、『心配《しんぱい》するなって』ポン、『わかっているよ』ポン――とつづく」

児玉さんは、この「ポン」に、池田大作氏が気の遠くなるような多くの人々から「先生」と呼《よ》ばれる秘密《ひみつ》をかぎとっているようです。

「『わかっているよ』ポンという行為《こうい》は、時として照《て》れくさく、いわゆる『知識人《ちしきじん》』『文化人《ぶんかじん》』（何という嫌《いや》なことば！）という種族《しゅぞく》の人間ほど、そういう仕草《しぐさ》に対《たい》して内《うち》なる羨望《せんぼう》と蔑視《べっし》を同居《どうきょ》させているものである」

池田氏は、人間が文化や教養《きょうよう》という衣装《いしょう》を身《み》ぐるみ脱《ぬ》ぎ捨《す》てた、いちばん最初《さいしょ》にして最後《さいご》に残《のこ》る人間味《にんげんみ》を核《かく》のように身につけていて、その上にA・トインビー博士《はかせ》との対話《たいわ》をはじめとする、何重《なんじゅう》もの衣装をまとっている人だった、というのです。

「池田氏の〝ポン〟の真打《しんうち》はけっさくであった。池田氏が羽織《はおり》の紐《ひも》を結《ゆ》わえながら襖《ふすま》をあけて入ってきたとき、あるいは夫人《ふじん》が『しばらくでございます』と入ってきたとき、香《こう》の香《か》がした。

お茶のシーンが終《お》わり『脚《あし》がしびれちゃった。きょうはまたこれから勤行《ごんぎょう》があるから』と立ちあがった池田氏に、『部屋《へや》にお香をたいていらっしゃるのですか』と聞くと、氏は不審《ふしん》そうに『いいえ』と答える。

では、匂《にお》い袋《ぶくろ》ですか？

『いいえ、そんな伊達男《だておとこ》じゃない』。じゃあ奥さまの香水《こうすい》ですか？

『おい、おまえ香水をつけているかい？』

『いいえ』

じゃあ何だろう。

『そうだ。お線香《せんこう》だ。部屋にしみついてい

るんだよ』

『そうですわ。お線香《せんこう》ですわ。私たちはもうなれっこになっているから気がつかないのですね』

池田氏《いけだし》は、不意《ふい》におどけて〝愚妻《ぐさい》〟その実《じつ》は〝愛妻《あいさい》〟の着物《きもの》の肩《かた》をポンと叩《たた》いていった。

『奥《おく》さん、たまには香水《こうすい》つけてくださいよ』」

香峯子夫人《かねこふじん》の児玉《こだま》さんへの挨拶《あいさつ》が「しばらくでございます」であったことからもわかるように、夫人は、このときの四年前にも氏のインタビューを受《う》けていました。


「ドアの向《む》こうのこの家の主婦《しゅふ》だけは、四年前と変《か》わらない。あい変わらず、きのうの女学校のセーラー服《ふく》を脱《ぬ》いだばかりのような匂《にお》いを残《のこ》す人である」と児玉さん。

そして四年前、この気鋭《きえい》のジャーナリストが驚《おどろ》く一瞬《いっしゅん》がありました。


四時間に近いインタビューを終《お》えたとき「いかがです。ホッとなさいましたか?」と尋《たず》ねられた夫人は「ええ、もう、女学校時代《じだい》の試験《しけん》より、ずっと、辛《つろ》うございました」と率直《そっちょく》に答えたのです。

昭和63年９月、静岡・富士宮にて（撮影・池田大作）

児玉《こだま》さんは「夫人《ふじん》は実《じつ》にみごとな答えで応《おう》じたものだった」と、そのときの様子《ようす》を伝《つた》えています。

ご夫妻《ふさい》に共通《きょうつう》するものは、周《まわ》りの人たちの思惑《おもわく》などを軽々《かるがる》と超《こ》えてしまうほどの「率直《そっちょく》さ」なのかもしれません。

取材《しゅざい》が終《お》わりに近づいたころ、池田氏《いけだし》に「いじわるな質問《しつもん》は終わりですか?」と、笑《わら》いながら聞かれた児玉さんは、「こういう質問はほとほと面倒《めんどう》でしょうね」と問《と》い返《かえ》しています。

そのときの答えがすごい。

「ええ、そうです。面倒です」

「普通《ふつう》なら、腹《はら》の中でそう思っていても『いいえ、あなたもお仕事《しごと》ですから』と答えるものである。

それを『面倒です』と答えてはばからず、相手《あいて》にまた残滓《ざんし》を残《のこ》さぬところ、こうさらけ出されるとさわやかというものだ」

そして、この日のテーマである「もてなし」について、児玉さんだけが深《ふか》く心《こころ》に感《かん》じただろうと思われるこんなエピソードを残しています。

「前夜、編集部《へんしゅうぶ》が私の近著《きんちょ》を池田氏に届《とど》けてくださった。その夜、氏は激務《げきむ》が夜半までつづき、翌日《よくじつ》は昼《ひる》に新聞原稿《げんこう》の締《し》め切《き》りである。

にもかかわらず、氏と夫人は、訪問者《ほうもんしゃ》である私の著書《ちょしょ》を読んでおられた。それも、ただ『読む』という肉体作業《にくたいさぎょう》ではなく、行《ぎょう》間《かん》を読まなければ語ることができない読後《どくご》感《かん》を話された」

児玉さんが「畏怖《いふ》すべき温情《おんじょう》に満《み》ちた『もてなし』」と呼《よ》んだものは、物《もの》でもごちそうでもなかったのです。

そして、さらにすごいことは、この「おそるべき努力《どりょく》と思いやりの必要《ひつよう》なもてなし」を、ご夫妻は、結婚後《けっこんご》、日常《にちじょう》のこととしてずっと続《つづ》けてこられたことです。

「訪問客《ほうもんきゃく》へのお心配《こころくば》り、これも大変《たいへん》なものです。奥様《おくさま》が在宅《ざいたく》でないときは、私が代理《だいり》人《にん》で出させていただきます。先生は常《つね》に『親切《しんせつ》に、丁寧《ていねい》に、感《かん》じよく』とおっしゃいますが、奥様にはとてもかないません」

と義妹《ぎまい》の女性《じょせい》が証言《しょうげん》しています。

ご結婚は、昭和《しょうわ》二十七（１９５２）年五月三日。式《しき》は東京《とうきょう》・中野《なかの》の歓喜寮《かんきりょう》で、仏前《ぶつぜん》結婚式《けっこんしき》でした。

この五月三日という日は、池田家《いけだけ》にとっ

て特別《とくべつ》な意味《いみ》が込《こ》められています。恩師《おんし》・戸田城聖氏《とだじょうせいし》は、一年前のこの日に創価学会《そうかがっかい》の第二代会長《だいにだいかいちょう》に就任《しゅうにん》しています。戸田氏は、まな弟子《でし》の池田氏《いけだし》のために、五月三日をお二人の出発《しゅっぱつ》の日に選《えら》んだのです。

また、この日は、立宗七百年祭《りっしゅうななひゃくねんさい》の直後でもありました。そして、八年後の昭和《しょうわ》三十五（１９６０）年五月三日に、池田氏ご自《じ》身《しん》も第三代会長に就任しています。

池田氏は、昭和四十九（１９７４）年に発刊《はっかん》になり、大ベストセラーになった『婦《ふ》人抄《じんしょう》』（主婦《しゅふ》の友社《ともしゃ》）に、ご自身の結婚式《けっこんしき》についてこう書いています。

「――やがて結婚しました。昭和二十七年五月三日のことです。結婚式も披露宴《ひろうえん》もいたしましたが、決《けっ》して背伸《せの》びするようなことはしませんでした。極《きわ》めて簡素《かんそ》なものでしたが、恩師や親《した》しい知友《ちゆう》の祝福《しゅくふく》は、まことに心温《こころあたた》まるものでした」

そして、別《べつ》のエッセーでは次《つぎ》のような決《けっ》意《い》を述《の》べています。

「私たち二人は、そのとき、社会のために尽《つ》くそう、人のために働《はたら》こう、と私たちの目的《もくてき》を互《たが》いに理解《りかい》しあい、それを互いに約《やく》束《そく》した。それは、いまも変《か》わっていないし、将来《しょうらい》も変わらないであろう。だからといっ

平成２年９月、東京・世田谷にて。
中国代表団歓迎会でのひとコマ

て、社会のために自分を犠牲《ぎせい》にすることでもなく、自分の幸福《こうふく》のために社会を無視《むし》することでもない。このことの実践《じっせん》のうちに、私たちは幸福を望《のぞ》んだのである。

私たちの場合《ばあい》、結婚《けっこん》の成否《せいひ》は、新しい家《か》庭《てい》を土壌《どじょう》として、どれだけ社会にあって働《はたら》けるかにかかっていた。結婚式《けっこんしき》の盛大《せいだい》か、否《いな》かには、まったく関係《かんけい》なかったのである」

（『家庭革命《かていかくめい》』〈講談社《こうだんしゃ》〉より）

香峯子夫人《かねこふじん》との結婚は、池田氏《いけだし》に「生涯《しょうがい》の宝《たから》となった私の結婚」（『婦人抄《ふじんしょう》』）といわしめるものでした。

「妻《つま》がいちばん気にかけたのは食事《しょくじ》のことでした。病弱《びょうじゃく》の私を、なんとかして健康体《けんこうたい》にすることが、彼女《かのじょ》の第一《だいいち》の仕事《しごと》となりました。私は妻と同時に、こよなき看護婦《かんごふ》と栄養士《えいようし》とをえたわけであります。私の当時からの激《はげ》しい活動《かつどう》が、今日《こんにち》までどうやら続《つづ》き得《え》たのは、彼女のこの時の発意《はつい》と努力《どりょく》のお陰《かげ》とおもっております」（『婦人抄』より）

そして、ご夫妻《ふさい》は「冬は必《かなら》ず春となる」という一節《いっせつ》を胸《むね》に、目黒区三田《めぐろくみた》の借家《しゃくや》で結婚生活をスタートさせました。

香峯子夫人にとって、家庭は、会合の場であり、絶《た》え間《ま》なく来客《らいきゃく》がある〝職場《しょくば》〟でもありました。

　さらに夫人のパワーを証明《しょうめい》する話があります。創価学会婦人部《そうかがっかいふじんぶ》の最高幹部《さいこうかんぶ》が夫人から直接伺《ちょくせつうかが》ったという話です。

「前に奥様《おくさま》がこう言われました。先生と『一緒《いっしょ》になれたのは過去《かこ》の福運《ふくうん》によるのでしょうね』と。また『それがあって今日《こんにち》があると感謝《かんしゃ》しています。だけどそれは過去の福運によるものなのです』と、こう割《わ》り切《き》られましてね。『その福運というのは自分で運《はこ》んで、積《つ》み続《つづ》けなければなりません。崩《くず》れ始《はじ》めると坂《さか》から石が転《ころ》げるように落《お》ちてしまいますもの。ですから私は私なりに、今日《きょう》も福運を積みながら、未来《みらい》へ前《ぜん》進《しん》していきたいのです』と、おっしゃったことがあります」

　確《たし》かに、夫人は「微笑《ほほえ》み賞《しょう》」の中でこう言っています。

「私のいちばん好《す》きな言葉《ことば》は『愚痴《ぐち》は福運《ふくうん》を消《け》し、感謝《かんしゃ》の唱題《しょうだい》は万代《ばんだい》の幸《さち》を築《きず》く』です。すべてをいいほうにとっていこうとする言葉です。その姿勢《しせい》は私の習慣《しゅうかん》になった気がします」と。

　池田家《いけだけ》の福運は、夫人がひとつひとつ的《てき》確《かく》に積み上げていったものだったのです。

　そして、気がつくと小さかった福運は、いつの間《ま》にか雪だるまのように大きくふくらんでいました。

マイナスをプラスに変《か》えてしまう発想《はっそう》力《りょく》、そして福運《ふくうん》を引《ひ》き寄《よ》せる実行力《じっこうりょく》を、香《か》峯子《ねこ》夫人《ふじん》は、すでに子ども時代《じだい》から身《み》につけていたようです。

「母の体質《たいしつ》は、決《けっ》して強いほうではありませんでした」。そのために「姉も私もよく家事《かじ》の手伝《てつだ》いをしていました」。そして「私の下には弟もいますし、我慢《がまん》するというか、忍耐強《にんたいづよ》くなったのは、そんな事情《じじょう》があったからかもしれません」。

「『ほんとに我慢強い子だった』『熱《ねつ》を出して、ウンウンしてるときも、弱音《よわね》を吐《は》かなかったのよ』と奥様《おくさま》の母上から伺《うかが》ったことがあります」とお手伝《てつだ》いの女性《じょせい》。

また「私は四人きょうだいの三番目でしたので、白木《しらき》の家の中では、あまり重要視《じゅうようし》されないほうでした」。

そのことを夫人は、「でも、それがかえって幸《さいわ》いして、いまではそれで助《たす》かったと思っております」と言い、親戚《しんせき》づきあいをご無沙汰《ぶさた》させていただけたおかげで、学会の仕事《しごと》を優先《ゆうせん》できたことに感謝《かんしゃ》しているのです。

ご夫妻《ふさい》には、父上が「三巨頭《さんきょとう》」という愉《ゆ》快《かい》なあだ名をつけた自慢《じまん》のご子息《しそく》が三人い

昭和39年11月、大田・小林町にて

ます。
ご長男《ちょうなん》は、昭和《しょうわ》二十八（1953）年生まれの博正《ひろまさ》さん（五十一歳・創価学会副会《そうかがっかいふくかい》長《ちょう》）。戸田《とだ》氏が命名《めいめい》し、「いい名前だろう。文学者《ぶんがくしゃ》になってもいい名前だ」と、会心《かいしん》の笑《え》みを浮《う》かべた自信作《じしんさく》なのです。

博正さんには、父上が好《す》きな桜《さくら》に、こんな思い出があります。

「『花吹雪《はなふぶき》　父《ちち》の肩《かた》にも　母《はは》の髪《かみ》にも』

満開《まんかい》に咲《さ》き香《かお》る桜をながめつつ、私が『花吹雪』というと、それを受《う》けて、『父の肩にも』と父。さらに『母の髪にも』と母が続《つづ》けた。

父と母と子でつくった思《おも》い出深《でぶか》き、一句《いっく》である」

そして、就職《しゅうしょく》を目前にしたときのことです。

「進路《しんろ》を悩《なや》んでいたそんなある日、夜の勤《ごん》行《ぎょう》のあと、母から一言《ひとこと》、『学会にお世話《せわ》になったのだから、学会に尽《つ》くしていきなさい』と言われた。

その一言で、自分のハラが決《き》まった」

博正さんは、母上の言葉《ことば》を胸《むね》に、関西創《かんさいそう》価学園《かがくえん》の社会科教員《しゃかいかきょういん》として大阪《おおさか》に赴任《ふにん》することになりました。

三男《さんなん》の尊弘《たかひろ》さん（四十六歳・創価学園主《そうかがくえんしゅ》

事《じ》、創価学会副会長）は、天文学《てんもんがく》に夢中《むちゅう》になり、父上と母上を大いに困《こま》らせた熱血漢《ねっけつかん》だったようです。

少し長い引用になりますが、父の立場、母の立場、子どもの立場がせめぎ合う「池《いけ》田家《だけ》」の攻防劇《こうぼうげき》を、池田氏の文章《ぶんしょう》で紹介《しょうかい》しましょう。

「自分を発見《はっけん》するといえば、中学一年になった三男坊《さんなんぼう》は、天文観測《てんもんかんそく》に無我夢中《むがむちゅう》である。そのきっかけになったのは、三年ほど前、ある親《した》しくしている方《かた》から、二男《じなん》に、天体望遠鏡《てんたいぼうえんきょう》を贈《おく》られたのである。それで、土星《どせい》の環《わ》を見た三男が、すっかり興奮《こうふん》してしまった。

やがて、もっと本格的《ほんかくてき》に観測できる望遠鏡が、どうしてもほしいというので、専門《せんもん》店《てん》へ連《つ》れていった。

三男坊が、即座《そくざ》に指《さ》した望遠鏡は、どうやら本格的なもので、専門的《せんもんてき》な観測にも、耐《た》えうるものだったらしい。

どうせ、飽《あ》きて放《ほう》りだすのだから、おもちゃ代《が》わりの安《やす》いものにしなさいと、妻《つま》の反対《はんたい》は強硬《きょうこう》である。三男坊のほうも、頑《がん》として聞かず、しまいには、その望遠鏡の前にすわり込《こ》んでしまう有様《ありさま》である。

あいだにはさまった私は、なんとか双方《そうほう》を説得《せっとく》し、中間的《ちゅうかんてき》なところに収《おさ》めようとしたが、調停《ちょうてい》に失敗《しっぱい》。私自身《じしん》も、土星《どせい》の環《わ》を見てかなり心《こころ》を動《うご》かされていたこともあって、妻《つま》を説得《せっとく》して、とうとう、その望遠鏡《ぼうえんきょう》を買ったのである。親切《しんせつ》な店員《てんいん》が、そのありさまを微笑《びしょう》を浮《う》かべて眺《なが》めていたのを、いまもって忘《わす》れられない」（『私《わたくし》の人生随想《じんせいずいそう》――三人の息子《むすこ》と私《わたくし》』〈祥伝社《しょうでんしゃ》〉より）

ついに尊弘《たかひろ》さんの熱意《ねつい》に敗《やぶ》れた父上は、子どもの情熱《じょうねつ》について、こんな感想《かんそう》を導《みちび》き出しています。

「私は、そうした何か、打《う》ち込《こ》めるものを持《も》つことは、おおいに結構《けっこう》なことだと考えている。

とくに、少年時代《しょうねんじだい》は、好奇心《こうきしん》が旺盛《おうせい》である。それは、学校教育《がっこうきょういく》という枠《わく》からはみ出して、際限《さいげん》なく伸《の》びていくことが多い。おとなは、しばしば、自分《じぶん》の既成概念《きせいがいねん》から、そのような芽《め》をつみとろうとするが、それは、かえって、子どもの性格《せいかく》をゆがめてしまう恐《おそ》れがあろう」

ここで、「三巨頭《さんきょとう》」の二男坊《じなんぼう》で、創価大《そうかだい》学《がく》の学生思いの職員《しょくいん》として活躍《かつやく》された城久《しろひさ》氏《し》の急逝《きゅうせい》（享年《きょうねん》二十九歳）にふれておかなくてはなりません。

ここに紹介《しょうかい》するのは、夫人《ふじん》の弟である白《しら》

昭和57年12月、神奈川・横浜にて。３人の子息は
右から博正氏、城久氏、尊弘氏

木周次氏《きしゅうじし》と美代子《みよこ》さんご夫妻《ふさい》が語る哀悼《あいとう》の日《ひ》の姿《すがた》です。昭和《しょうわ》五十九（1984）年十月三日のことです。

母・香峯子《かねこ》夫人《ふじん》のその日です。

「大阪《おおさか》から急《きゅう》きょ戻《もど》られる奥様《おくさま》を出迎《でむか》えに、私たちは城久《しろひさ》さんの入院先《にゅういんさき》の病院《びょういん》から、東京駅《とうきょうえき》に行きました。私たちはもうがっくりしていました。

でも、奥様はかえって私たちを励《はげ》まされて……。駅では簡単《かんたん》に話を交《か》わしました。ご心境《しんきょう》はいかばかりだったでしょう。奥様は、そういうときでも、『わーっ』というのがなくてですね。

列車《れっしゃ》から、すうっと降《お》りてこられ、『まあ、ずいぶん、かわいそうなこと』と驚《おどろ》かれますので、『はあ……』と思い、どうしてかな、と思いました。

そのときは気づかなかったのですが、あの日は十月三日でしたけれども、すごく暑《あつ》かったんです。病院でも、城久さんがそう言っていたくらいでしたから、私たちは半《はん》袖《そで》を着《き》ておりました。しかし夜はグッと冷《ひ》えました。主人《しゅじん》はシャツ姿《すがた》で……。こんなときでも奥様は私たちのことを気づかわれたんです」（白木美代子《しらきみよこ》さんの話）

「お孫《まご》さんのことは、城久さんがいないから、自分たちがしっかり見ていく、見つめていく、というものが、ものすごく強いです。常《つね》に二人のお孫さんのことを思って、そのぶん長生きして、見守《みまも》ってゆく、という感《かん》じが伝《つた》わってきます。

お嫁《よめ》さんのことも、まったく肉親同然《にくしんどうぜん》の母娘《おやこ》のようです。『私、実《じつ》は、娘《むすめ》も欲《ほ》しかったの』と言って、ですね。

あらためて姉の人生を振《ふ》り返《かえ》ってみると、睡眠時間《すいみんじかん》が少なくなった点だけが結婚《けっこん》前と変《か》わっていて、あとの根本的《こんぽんてき》なところは、僕《ぼく》が物心《ものごころ》のついたころから見ておりますが、違《ちが》ってないですね。途中《とちゅう》で向《む》きを変えたことは、何もないと思います」

（白木周次氏《しらきしゅうじし》の話）

そして、父・池田氏《いけだし》のその日です。

「当日《とうじつ》、池田先生は奥様だけを東京に送《おく》り、関西《かんさい》の地に最後《さいご》まで残《のこ》り、帰りぎわまで、青年《せいねん》たちの成長《せいちょう》に期待《きたい》し、励ましてくださいました。翌朝《よくあさ》、空港《くうこう》をたつとき、見送《おく》りの数人に言われたのです。『関西の未来《みらい》は頼《たの》んだよ』と」。これは、機《き》が飛《と》び去《さ》ったあと、男子の涙《なみだ》、滂沱《ぼうだ》だったという青年が、東京の友人に伝《つた》えた話です。

二人のお孫さんは、お父さんの母校である創価大学《そうかだいがく》に学び、卒業《そつぎょう》されました。そしていま、お父さんの心を継《つ》いで教育《きょういく》の道に進《すす》んでいます。

池田氏《いけだし》は『私《わたくし》の履歴書《りれきしょ》』の中で次《つぎ》のように妻《つま》を語っています。

「ある婦人雑誌《ふじんざっし》の正月号《しょうがつごう》（四十九年）に『わが子《こ》に托《たく》して』と題《だい》して一文《いちぶん》を寄《よ》せた。『彼等《かれら》もやがて恋人《こいびと》ができ、結婚《けっこん》するであろう、そのときに私はただひと言《こと》いいたい。〈パパのことはいい。ママだけは大切にしてあげてくださいよ〉と。それは五月三日を、わが家《や》の葬式《そうしき》と感《かん》じ、以来《いらい》、いつも笑顔《えがお》を絶《た》やさないで尽《つ》くしてきてくれた妻への償《つぐな》いの心《こころ》である』」

（『私《わたくし》の履歴書《りれきしょ》』より）

では、最愛《さいあい》の夫《おっと》に、こんなすてきな言葉《ことば》を贈《おく》られた妻は、どんな気持《きも》ちで夫を見ていたのでしょう。

「奥様《おくさま》は『主人《しゅじん》と私の関係《かんけい》は、主人が太陽《たいよう》で、私は太陽の光で輝《かがや》く月だと思います。太陽がなくなると、輝かないのじゃないでしょうか……』と、あくまで謙虚《けんきょ》におっしゃっています。

もう一つ『勝《か》たなくてもいいから、負《ま》けないこと。どんな事態《じたい》にあっても負けない一生を』と、よくおっしゃいますね」

（婦人部幹部《ふじんぶかんぶ》の話）

平成元年８月、長野にて

「負《ま》けない一生」

夫人《ふじん》の実感《じっかん》が込《こ》められたこの言葉《ことば》から、夫《おっと》とともに歩《あゆ》む人生を守《まも》る、そして一歩も引かないという、「妻《つま》の決意《けつい》」がほの見えます。

そして、この「妻の決意」は、池田氏の妻を思いやるたくさんの歌の中にしっかりと結実《けつじつ》しています。

いついつも
夫婦《ふたり》で見《み》つめむ
富士《ふじ》の山《やま》

二〇〇二年十月十二日　八王子にて
大作

装丁　池田雅彦（ポニーテイルズ）

本書は、池田香峯子さんへのインタビューや、これまで集めてきた資料を編集してまとめ上げたものです。

香《か》峯《ね》子《こ》抄《しょう》

平成十七年二月二十七日　第一刷発行

編著者　主婦の友社
発行者　村松邦彦
発行所　株式会社主婦の友社
〒101-8911
東京都千代田区神田駿河台二―九
電話〇三-五二八〇-七五三七（編集）
〇三-五二八〇-七五五一（販売）
印刷所　大日本印刷株式会社

もし、落丁、乱丁、その他不良の品がありましたら、おとりかえいたします。お買い求めの書店か主婦の友社資材刊行課（電話〇三-五二八〇-七五九〇）にお申しいでください。

ISBN4-07-245960-7